纽伯瑞国际大奖小说集

Smoky, the Co

牧牛小马斯摩奇

[美]维尔·詹姆斯/著　　李宏声/译

山东科学技术出版社
·济南·

图书在版编目（CIP）数据

牧牛小马斯摩奇 /(美)维尔·詹姆斯著；李宏声译. -- 济南：山东科学技术出版社，2018.3（2024.5重印）
（纽伯瑞国际大奖小说集）
ISBN 978-7-5331-9162-7

Ⅰ. ①牧… Ⅱ. ①维… ②李… Ⅲ. ①儿童小说－长篇小说－美国－现代 Ⅳ. ① I712.84

中国版本图书馆 CIP 数据核字 (2017) 第 300021 号

纽伯瑞国际大奖小说集
牧牛小马斯摩奇
NIUBORUI GUOJI DAJIANG XIAOSHUO JI
MUNIU XIAO MASIMOQI

责任编辑：董小眉
装帧设计：艺唐广告

主管单位：山东出版传媒股份有限公司
出 版 者：山东科学技术出版社
地址：济南市市中区舜耕路 517 号
邮编：250003　电话：（0531）82098088
网址：www.lkj.com.cn
电子邮件：sdkj@sdcbcm.com
发 行 者：山东科学技术出版社
地址：济南市市中区舜耕路 517 号
邮编：250003　电话：（0531）82098067
印 刷 者：湖北鑫光印务股份有限公司
地址：湖北省云梦经济开发区三湖大道 13 号
邮编：430070　电话：（0712）4084888

规格：16 开（155 mm × 220 mm）
印张：10　字数：200 千
版次：2018 年 3 月第 1 版　印次：2024 年 5 月第 3 次印刷
定价：19.80 元

前　言

纽伯瑞儿童文学奖简称纽伯瑞奖，该奖项是由美国儿童图书馆服务协会（Association for Library Service to Children，ALSC）为纪念英国儿童文学作家和出版家——纽伯瑞而设立的。

纽伯瑞出生于1713年，他出版了世界上第一本儿童书——《美丽小书》，开办了世界上第一家专门的儿童图书印刷厂、世界上第一家专门的儿童书店。他出版发行的儿童文学书籍深受孩子们的喜欢，他由此开辟出了一条英美儿童文学之路，因此后世称之为“儿童文学之父”。

以纽伯瑞命名的纽伯瑞奖，1922年创办，每年评选和颁发一次，奖励前一个年度出版的优秀英语儿童文学作品，一直延续至今。纽伯瑞奖历史悠久，对美国乃至世界的儿童文学都影响深远。该奖项获奖要求之严格，获奖作品水准之高超，均是有目共睹、众所周知的。纽伯瑞奖获奖作品题材广博，不仅针对儿童的各种心理，诸如恐惧、忧愁、悲伤等做出开解，还蕴含了对全人类和大自然悲天悯人的关怀。因此历年来获得纽伯瑞奖的优秀作品，被每个美国家庭收藏，成为每个美国青少年的必读书目。

正因为纽伯瑞奖的权威性和经典性，我们特从获奖作品中选取了八本历年来畅销不衰、深受小读者们喜爱的作品，旨在帮助更多的青少年阅读到经典的优秀儿童文学作品，从中感悟到人性的光芒和力量。

该八本经典文学作品分别是《彩虹鸽》《牧牛小马斯摩奇》《胡桃木小姐》《草原上的小木屋》《吹号手的诺言》《杜立德医生航海记》《木头娃娃历险记》和《兔子坡》。

其中，《彩虹鸽》讲述了一只脖颈处有着彩虹一样绚丽颜色的鸽子充满传奇的一生，处处流露出作者对生命和大自然的关爱；《牧牛小马斯摩奇》则讲述了一匹名叫斯摩奇的野马跌宕起伏的一生，从性格开朗到暴虐，之后变得逆来顺受，最后再次被主人的关爱激活，重新找回快乐，该书悬念迭出的故事情节定会让青少年爱不释手；《杜立德医生航海记》讲述了精通动物语言的杜立德医生传奇的航海故事，该书想象力丰富，故事情节跌宕起伏，一直备受青少年喜爱……

该八本书每一本都精彩纷呈，不再一一赘述。期待小读者们能自己拿起这套书，亲自去发现里面的丰富和传奇；也盼望着这套书能成为小读者们人生路上的启发者，帮助小读者们拥有向上和向善的力量！

纽伯瑞国际大奖小说集

目录

第一章
野马降生

原野上，一匹全身乌黑的小马驹降生了，正试着用它柔弱的长腿，在枯黄的草地上摇晃着站起来。这一天，就连大自然也很欣慰——草芽已破土而出，迎向温暖的阳光。

在这个春天的早晨，大草原的小山丘上，小马斯摩奇降生了。

“斯摩奇”（注：英语 smoky，意为烟灰色）这个名字，其实并不符合这匹刚生下来的小马，因为它是黑色的。不过这名字要到四年以后才用到，那时，它已经是一匹很优秀的坐骑了。这会儿的斯摩奇还只是原野上的一匹小马驹，在它生命的第一个早晨，陪在它身边的只有它的妈妈。妈妈正警惕地注意着周围的一切。

出生才一个小时，斯摩奇就开始对周围的事物感兴趣起来。它晃悠着昂起了头，开始凑上鼻子去嗅摊开在它面前的长长的前腿。它妈妈守候在旁边，看到斯摩奇的第一次动弹，就用鼻子嗅着它短小的脖颈，发出嘶鸣声。听到声响，斯摩奇又把头昂起了 2 厘米，用它生命中第一声微弱的嘶叫回应了它的妈妈。

斯摩奇的生命就这样开始了。过了一阵子，它的耳朵就随着妈妈移动时发出的声响而前后转动，以确定妈妈的位置。随后，有什么东西在它鼻子前一晃而过，可能那个东西在那儿已经有很长一段时间了，但它之前从来没意识到。它的视力依然有点儿模糊，直到那个东西又动了一下，移得更近了，它才感兴趣起来。

那个东西靠得很近，它凑上去嗅了嗅，气味印在了它的大脑里，并告诉它一切都正常——那不过是妈妈的一条腿！它把耳朵竖了起来，又叫了一声，比第一次嘶叫要清亮得多。

出于本能，斯摩奇突然挣扎着要站立起来，但是它虚弱的四肢还做不到这一点儿。正当肚子几乎已经离开地面，它准备歇会儿再继续努力的时候，它的一条前腿不由

自主地打了个颤，使它整个儿倒在了地上。

它侧身躺在地上，重重地喘着气，它妈妈在一旁叫着，给它鼓励。没过多久，它的头又昂了起来，四肢跟之前一样叉开。它又试了一次，但是这次它摔得更重。它一次次地失败，同时一次次地积累经验。它嗅着自己的四肢和身下的土地，好像在进行研究，想弄明白自己怎样才能一条腿一条腿地站起来。它妈妈在它身边绕着圈，用马语跟它交流着，或者用鼻子推它一把，然后走开，看着它的反应。

它没有在地上躺很久，视力越来越清楚，力气积聚得也越来越快。离它不远的地方有成群的小牛犊正四处追逐玩耍，眼睛睁得大大的，不时对着自己的妈妈大声嘶喊。

斯摩奇的妈妈早在它出生前几天就悄悄离开了马群，躲到了一个僻静的地方。等它出生几天以后，强壮到会跑会跳了，它的妈妈会再回去。斯摩奇的妈妈是匹十足的野马。

斯摩奇遗传了它妈妈的这种本能。不过在这个安静的初春早晨，它一点儿都不担心敌人，因为妈妈在它身边，而且它还有个艰巨的任务，那就是要想明白怎么样才能用长在身上的那几根向四面叉开的长长的东西站起来。

它又整个儿摔了下来，跟之前一样躺在了地上。

不过这次它没有躺很久，要么是它喜欢上了这种先起来再倒下的运动，要么是它生起了气。不管怎样，它又站了起来，虽然四肢还是抖得厉害，但这是一次真正的站立。它妈妈来到它身边嗅了嗅，它也嗅了嗅妈妈，生命的本能使它吮起了妈妈的奶，汲取了生命中第一份养料。它的肚子变得暖乎乎的，体力也恢复了。这时斯摩奇出生才一个半小时，它能稳稳地站着了。

对于斯摩奇来说，这一天剩下的时间过得很充实。它踏遍了“原野”的每个角落，跃上了半米高的“大山”，翻过了近 3 米宽的“峡谷”，有一次还跑到了离妈妈 5 米远的地方……

新的一天开始了。畅饮了一番妈妈的乳汁之后，斯摩奇迎来了意义重大的一天——跟妈妈一起踏上觅食之旅。往南约 1 千米远的地方有几棵树，树旁边有一汪清泉，它们就向着树的方向移动。水正是斯摩奇的妈妈此时最渴望的，它非常想喝上一口清凉的泉水，但是如果你看到它的步伐，你就不会有这样的想法了。它不时嗅嗅青草，慢慢地等小斯摩奇跟上它，还不时观察四周是否有危险存在。

第二天早上太阳升起的时候，斯摩奇也起来了，眼睛半闭着，静静地站在那儿晒太阳，就像它身旁的大石头一样。有条后腿还有点儿发僵，提醒它昨天发生的一切。

现在它出生两天了，体力越来越充沛。早上，太阳升起几个小时后，斯摩奇和妈妈又出发了。今天它相当争气，一直和妈妈保持着同样的速度，没有落在后面。它僵硬的后腿在走动中慢慢恢复了，变得灵活自如。

走啊，走啊，走了很久。它们绕过山脚下的平地，越过了一座高高的山脊，穿过了许多河流。妈妈一个劲儿地往前走，甚至都不愿意停下来给斯摩奇喂奶。斯摩奇累了，有点儿不耐烦。

不过这种情况没有持续太久，因为它们终于抵达了目的地。它妈妈先在一条小溪旁喝了点儿水，然后来到了一个很大的杨木林前，就停在边上吃起草来，再没有赶路的意思了。

现在的它比以前更强壮，视野也更宽广，甚至都能赶上它妈妈的一半了。那天清晨，妈妈发现了一群马匹，它们正漫步找水喝。妈妈认出了它们，于是发出一声嘶鸣。这引起了斯摩奇的兴趣。它竖起双耳，听到了马群接近的声音，过了一会儿，它看清楚了马群的样子：它们全都跟妈妈长得一样，而且这么一大群！虽然斯摩奇对此很感兴趣，并且它的本能告诉它没什么危险，但在事情没弄清楚之前它可一点儿也不想离开妈妈的身边。

妈妈注视着越走越近的马群，双耳往前竖着。很快，几匹领头的马发现了小斯摩奇，马群中起了一阵骚动，马儿们全都开始围拢来，向这位新来者表示欢迎。这时妈妈往后伸了伸耳朵，这是一个警告，表示不允许它们靠得太近。

看到这么多同类，小斯摩奇有点儿害怕，膝盖都在发抖。它紧挨着妈妈，但是头昂得高高的，勇敢地面对着它的同类。它的眼睛里闪着光，表明它很喜欢眼前发生的一切。其中有一匹公马，比其他马要有胆识，敢不顾斯摩奇妈妈的警告，走到斯摩奇跟前。斯摩奇同这匹它根本不认识的马蹭了下鼻子，妈妈看到了，就要去咬这匹马。

就这样，马儿们和斯摩奇开始以这种方式互相介绍认识。这个过程持续了整整一个小时，妈妈就守在旁边，它不担心会有谁伤害斯摩奇，而是想让马儿们从一开始就明白斯摩奇是属于它的，斯摩奇的事由它做主。那些马很快就明白了这一点，但它们花了一两天的时间才习惯多了一位新伙伴，不再对斯摩奇指指点点。

马儿们争风吃醋，甚至互相斗殴，以决定谁可以接近斯摩奇。当然，斯摩奇的妈妈已经从一开始就表明了自己的地位，大家都理所当然地认为它在斯摩奇心目中是无法取代的，也都知道想把它从斯摩奇身边赶跑是不明智的。不管是小母马还是老母马，小雄马还是老矮马，所有的马都想一决高下，看看谁最适合当斯摩奇的“保镖”，整天跟着它，陪它玩，和它妈妈一起守护它。

大家都想争这个活，但最后是一匹鹿皮色的坐骑马——马群的头——赢得了胜利，向大家宣告它将是斯摩奇的全面监护人，地位仅次于斯摩奇妈妈。

除了斯摩奇外，马群中还有另外三匹小马驹。每次有小马驹到来，这匹鹿皮色马都不得不训斥马群一番，以表明它对新来者拥有决定权。现在斯摩奇是新来者，而鹿皮色马也再次享有了优先权。它年纪很大了，身上伤痕累累，证明它久经沙场。它的背上有马鞍的勒痕，说明它一度还是匹非常出色的牧牛马。不过现在它已经退休了，正享受它的晚年。

斯摩奇的妈妈还很年轻，至少比鹿皮色马要年轻十岁，但是要说到玩，鹿皮色马和它相比根本就是有过之而无不及。只是现在它有了斯摩奇这份责任，因此收敛了许多。它允许斯摩奇跟自己玩，但从来不主动陪它玩，斯摩奇要是玩疯了，它还会制止。它全心地爱着斯摩奇，愿意随时为斯摩奇而死，它最想看到的就是自己身体健康，这样斯摩奇就不会因为没有充足的奶吃而发育不良。

鹿皮色马和斯摩奇很快混熟了，不一会儿它们就一起玩了起来。鹿皮色马咬了斯摩奇的腰一口，当然它很小心，避免弄伤斯摩奇，斯摩奇就会满草原追着它，开心得不得了。其他马看它们在一起玩，每每都掩饰不住自己的羡慕。

斯摩奇当了两星期的头，大家都宠着它。直到有一天，马群里来了另外一匹小马驹——只有两天大，跟着它妈妈一路跋涉到了这里——斯摩奇才被打入了冷宫，并且目睹了因为小马驹的到来所引发的议论和骚动，就跟那天早晨在小溪边发生在它自己身上的事情一样。鹿皮色马再次战胜其他的马儿，赢得了在新小马驹心中的地位，同时也立刻把斯摩奇抛到了脑后。

但是斯摩奇从来没觉得这有什么不对，只要有马儿能接受它，它还是会和它们一块玩。你看，没过多久它就和一匹小母马交上了朋友，再后来又和其他小马驹们玩到了一起。

第二章

遇到了人

春天过去了，随后就是温暖的夏季。原野上的雪全都化了，除了那个群峰高耸、峡谷又深又窄的地方。

那儿的草儿更青，苍蝇也没那么毒。斯摩奇尤其喜欢在松树底下吹风,让它觉得无比凉爽。

那个地方很高，岩石林立，路很崎岖。正是这样一个地方跟斯摩奇的成长有着很大的关系。

它经常去那里陡峭的山脊上玩，山上的页岩很滑，这使得它的四肢变得粗壮结实，不再颤颤巍巍的。它们牢牢地长在斯摩奇的身上，真正成了它的一部分。

斯摩奇蹄子上那层粉色的软膜早就蜕掉了，现在变成了钢灰色，几乎就跟钢一样坚硬厚实了。它喜欢在岩石林立的峡谷中玩耍嬉戏，在树林里腾空跳跃。

斯摩奇学得很快，除了自己的亲身经历外，它还从妈妈那儿学到很多。

慢慢地，它知道了树林里有什么，平地上又有什么。就这样，斯摩奇变得越来越聪明，对这个世界了解得也越来越多。

斯摩奇在高原上生活得很开心，要是遇上什么事，它准会探个究竟，毫不担心可能存在的危险。

在原野上生活的野生动物，斯摩奇都碰到过，而且也都打过交道。它妈妈只要感到它们就在附近，马上就会避开。如果来不及，就躲在暗处观察，等它们离开后才出来。斯摩奇后来也遇上过它们，还和它们搏斗过。

斯摩奇四个月大的时候，它生命中的第一件大事发生了。事情发生前一点儿预兆也没有，天空没有乌云密布，也没有狂风阵阵。它和妈妈站在阴凉的大松树底下，睡着了，整个马群都睡着了。

一个牛仔骑马来到峡谷，发现了它们。他悄悄地绕到了它们上方，开始将它们往下面赶。

他这么做很明智，因为很快就有一匹马感觉到他的存在，抬起头看到了他。

那匹马立刻叫醒了大家。所有的马都醒了，霎时间四处逃散。它们如那牛仔所料，全都往峡谷下面跑。一时整个峡谷尘土飞扬，而那个牛仔在后面追着。

斯摩奇没有跟队伍跑散，不过受了点儿惊吓。它全然忘了要弄明白这是怎么回事，只顾着跟着领头的马狂奔。

直到这时斯摩奇才往后侧过身子，目光掠过后面的马儿，它第一次看到了人类。

它妈妈以及其他马儿的举动——它们全力奔跑，只为了要躲过或甩开那个人——给了斯摩奇一个印象：这是个与众不同的动物，没有马愿意停下来同这个动物搏斗或争论，它们愿意做的就是尽可能地逃开。

那个骑在马上的人仍然紧紧跟在它们屁股后面，直到把它们赶进大木栅栏旁边的围栏。

突然，它们听到了大门关上的声音，这使它们眼里冒出了怒火。它们转过身来，看到了一个人。那人弯着腿，全身披了一层皮革，脸晒得黝黑。

斯摩奇看着这个奇怪的动物从它的家族成员身上跨下来——那也是一匹马，只是背上多了一大块皮革一样的东西，看着很好玩。

接下来那个人乱摆弄了一番，马背上皮革样的东西就被卸了下来。那匹马没了束缚，抖了抖身子，向斯摩奇它们走来。

斯摩奇紧紧盯着，生怕看漏了什么。那匹解除了束缚的马经过的时候，斯摩奇伸伸鼻子闻了闻它满是汗水的身子，想看看能不能找到什么线索来弄明白刚才在长跑中一直坐在它背上的是什么。

但是它非但没有弄明白，反而却更加困惑了，它只好把注意力从那匹马身上移到了那个用两条腿站着的动物身上。

栅栏前面忽然扬起了一片烟尘，有一群马正朝这里跑来，有六七个人骑着马在后面驱赶。斯摩奇急忙飞跑回妈妈的身边，看着那些人把马群赶进栅栏，跟原来的马儿们关在了一起。栅栏里顿时尘土飞扬，大约有两百匹马在栅栏里又跑又转，一片混乱。

就在马群在栅栏里乱跑乱转的时候，斯摩奇很小心地藏好身子。

过了一会儿，它透过马腿看到栅栏外面不远的地方燃起了一堆火，长长的铁条插到了正熊熊燃烧着的木头堆里。接着，马群又是一阵骚动，在栅栏里狂奔乱跑，鼻子里呼哧喷着气。

越来越多的马被赶到了另外一个栅栏里，最后大约只剩下了五十匹，大多是跟斯摩奇差不多大的马驹，还有一些静默的老母马。

没多久，厄运终于降临，随着嘶嘶的声音在耳畔响起，毒蛇一般的绳索缠住了斯摩奇的两条前腿。斯摩奇尖叫一声，倒在了地上，四肢被绑了起来。

它看到有一个人举着滚烫的铁条跑到它身边，接着它闻到一股焦煳味儿——那是它自己的鬃毛和皮被烧焦的味道，但它并没感觉到烫，也不疼，因为对于那个时候的它来说，灼烫的铁条并不比人手的碰触更可怕。只是不管是好是坏，事情总有完结的时候，很快斯摩奇就感到绑着它四肢的绳子解开了，它站了起来，跑回到马群里，左腿上多了一个记号，一个一辈子都消不掉的记号——记号表明它归属于“遥 R”一队。

烙印的活儿终于结束了，马儿们大大松了口气。被赶到另一个栅栏的马又都回来了，马驹们找到了自己的妈妈，然后就被放走了。它们又自由了，可以自由地回到高山上或者在平地上奔跑。

秋天来了，天空总是阴沉沉的，雨也越下越凉。

它们找到的地方是低矮的山脊和大草原中央形成的阶地，那里有陡峭的峡谷，长着大片的柳树和杨木林。

每当寒冷的北风吹过，暴风雪呼啸而来，所有的动物都要找个洞穴时，那里就是它们最好的避风港。那里还长着高秆草，只要用蹄子扒，总能扒到。

斯摩奇一生中的第一个冬天就在这平坦开阔的平原开始了。它一刻也闲不住，忙着观察这片新领土，眼睛、耳朵、鼻子全用上了。

每一个水潭，每一条干河谷，每一座小山丘，都让它好奇不已。

第一片雪花飘下来的时候，它更是兴奋，雪花洒在它的鬃毛和后臀上，让它直想弓背跳起来玩上一番。

这个冬天，它开始刨开积雪找食物吃。好几个月前，它就发现妈妈的乳汁不够喝了。慢慢地，妈妈的乳汁只够它润润嗓子。最后，妈妈让它明白它应该要断奶了。

斯摩奇没有跟妈妈争，它知道争也没用，它只有一个选择，那就是像成年的马一样在地上刨着找草吃。

才有一点儿春天迹象的时候，斯摩奇的“冬装”就变淡了，变成了棕色，它的耳朵和腰部已经变成了鼠灰色。但是还要等到下一个冬天到来的时候，它才能真正完成换色，变成一匹浅灰褐色的成年马。

不过斯摩奇可从来不在乎自己的长相是不是好看，对它而言，只有健壮才是最重要的。

就在最热的那几天里，斯摩奇的妈妈失踪了！当时斯摩奇正在小溪岸边的树荫下打盹，醒来后却发现妈妈不在自己身旁。

斯摩奇只得学着独自生活下去，它并没有想象中那样烦躁不安，可能它隐隐有预感，妈妈的失踪是不得已的，这一切都是暂时的。

总之，在妈妈失踪的这段日子里，斯摩奇还跟以前一样，该睡就睡，该吃就吃，该玩就玩。它的皮毛一天天变得越来越光滑。

几天后的一个早上，那匹鹿皮色马竖起耳朵，发出一声嘶鸣，大步朝平原跑去。

平原上有一匹马，正朝马群走来，旁边还有个小东西在动。

斯摩奇和其他的马儿们都站住了，看着这一切。很快斯摩奇就发现那个正朝它走来的身影很熟悉，但是身旁跟着的那个小东西又让斯摩奇很茫然。斯摩奇抬起头，奔到路边，想看个究竟。最后它终于明白，那个身影不是别人，正是它妈妈。

它一边嘶叫着，一边蹿了出去，一直跑到了离妈妈很近的地方。

这时它斜瞟了那个跟在它妈妈身边的小东西一眼。那是一头新生的小马驹，腿还打着战，浑身乌黑发亮，它是斯摩奇的小弟弟。

斯摩奇一直凑在它弟弟的身上闻来闻去，弄得它妈妈不得不对它竖起了一只耳朵，意思是说：小心点儿，儿子。

不过，斯摩奇也的确很小心。当妈妈继续往马群走去时，它跟在后面。那匹成年的鹿皮色马又接下了抚养它弟弟的任务。自那以后，斯摩奇的地位就屈居第二了。

第三章

岔路探险

仲夏到了，虽然高山巅上还有雪没有化掉，但天气已经热得不行。在一条岩石林立的山间小道上，有一小群野马正走着，一匹跟着一匹。走在最前面的是斯摩奇的妈妈，那匹新来的全身乌黑的小马驹紧跟在它身后，然后是一岁大的斯摩奇，全身灰褐色，脸上神采飞扬。跟在斯摩奇后面不远的是一匹鹿皮色的大马，再后面还有八九匹马——这就是整个马群。

它们在山路上慢慢地走着，好像并没有明确的目的地。

最后，它们来到了一个岔路口。领头的马选择一直向下走，那匹乌黑的小马驹以及其他的马都跟在它后面，只除了斯摩奇。那条向上的岔路引起了它的好奇，它一定要上去探查一番才行。它一边走，一边嗅着地面，看看有没有东西能让它感兴趣。它看到了在下面走着的马群，想着满足了好奇心之后，可以很快抄近路赶上它们。

前方路的上方有一块大花岗石，旁边长了一棵低矮的桃花心木，根部就插在那块大岩石里，繁茂的枝叶四散开来，盖在岩石上方，形成了一个极佳的庇荫场所。树荫下有一个长长扁扁、深鹿皮色的东西，看上去非常像岩石的一部分——要不仔细看，真分不清楚。那个东西全身摊开着，如果不是它又长又圆的尾巴在上下翘动，看上去就像死了一样。听到路上传来马蹄的声音，那个东西的圆脑袋马上抬了起来，它看到了斯摩奇——那匹一岁大的灰褐色马，于是立刻把耳朵放了下来，黄色的眼睛变得漆黑。

斯摩奇沿着路走来，就要走到离那块大岩石不到几米的地方了——那块大岩石就是美洲豹扑食的据点，平常它就是从那块岩石上猛扑出去，让数不清的野鹿丧生在它的利爪之下的。不远处就是它撕碎猎物饱餐的地方。它吃剩下的肉都让野狼、丛林狼还有其他的腐食动物啃光了，最后只留下根根白骨，在阳光下闪闪发亮。

斯摩奇往上走，离岩石越来越近。路边的每一根树枝、每一块石头它都要嗅上一嗅，最后离美洲豹跃起扑食的地方已经很近了。那头美洲豹略略起身，蓄势待发，做好了进攻的准备。

只要再往前踏一步，斯摩奇可能就看不到明天的太阳了。但就在它抬腿跨出这最后一步的时候，岩石下面传来了嗞嗞的声音——一条 1 米多长的响尾蛇正向它爬来，想去咬它的鼻子。于是，已经抬起来准备向前跨的那条腿立马缩了回来，斯摩奇跳开了。

几乎与此同时，那头美洲豹从岩石上扑了下来。它虽然已经料到斯摩奇会纵身跳开，但没有料到斯摩奇的动作会提前，且在方向上也与它估计的有半米误差。它扑到半空，爪子一阵乱舞，满以为能够抓住斯摩奇的脖子，结果却只是抓到了几根鬃毛，然后就重重地摔到了硬实的地面上。

斯摩奇一点儿都没敢停下来看那个有着锐利爪子、朝它飞扑而来的大家伙有没有在追它，只顾着向前飞奔逃开。很快它就穿近道回到了妈妈和马群所在的那条路上。

从那天开始，斯摩奇一看到又高又大的岩石就会躲开，除非它能看清楚岩石的全貌；见到那些又粗又矮的松树，它也会绕开；凡是美洲豹可能蹲伏扑食的地方，它都会避开。慢慢地，斯摩奇越来越喜欢和马群待在一起，不再四处乱跑了。它已经跟原野上大多数猛兽打过交道，基本上该知道的都知道了，所以用不着到处长见识了。

最后，它觉得自己无所不知、无所不能，每次甩着尾巴冲下山坡的时候，它觉得好像整个世界都在它的掌控中。跟其他同龄的小马驹一样，斯摩奇到了最自以为是的年龄，它变得犟头犟脑，成天调皮捣蛋，年长的马都讨厌起它来，开始教训它。

春夏秋冬，寒暑交替，斯摩奇三岁了，直到这时它才真的到过了原野的每一个角落，成为一匹真正意义上的野马。它的毛皮下面蕴藏着巨大的生命能量，使得它很难安定下来。虽然才三岁大，但它有时耐不住性子就会独自跑出去，做些不该做的事，使得那些老马个个都往后竖起耳朵，对它龇牙咧嘴。

马群就这样相安无事地一天天过着日子。终于有一天，这种单调宁静的日子彻底被打破了。

事情发生的时候，马群排成一行，正准备去找水源。斯摩奇的妈妈跟以往一样走在最前面，它第一个转过山脊，发现离自己不远的地方有一大群黑马。斯摩奇是第二个看到的，不知怎的，当它朝那匹有着长鬃毛和厚下颌的黑马呼哧喷气的时候，它有种预感，它们安宁的日子到头了。

一开始，斯摩奇只看着眼前的这匹黑马，没敢动。那匹黑马向它们走来，鬃毛飘拂，尾巴翘得高高的。那匹黑马走到离它们几步远的地方停下脚步，粗壮有力的脖子低下来，画了一个半圆，耳朵向前竖起，眼睛闪闪发光，打量着它们。

这时，黑马忽然动了一下，这让斯摩奇做出了决定。它走到了妈妈的身旁，跟它蹭蹭鼻子，互相闻了闻，然后在妈妈的叫声中向黑马扑了过去。就在斯摩奇快要扑到它身上的时候，黑马迅速地避开了。斯摩奇踢出的前蹄和锐利的牙齿全都落了空，虽然就差了一点儿。

斯摩奇从来没见识过种马的战斗力，所以它想不明白它的出击怎么全落了空，敌人明明就在它攻击的范围之内。更让斯摩奇奇怪的是，受到这么猛烈的袭击，黑马还是没有表示出还击的意思，它只是躲开冲撞，耳朵保持前竖，继续打量着马群，好像什么事都没发生。斯摩奇觉得黑马根本就没把它放在眼里，它的举动也比语言更清楚地传达了这么一个意思：斯摩奇是个“蠢孩子”。

斯摩奇威风扫地，心中充满挫败感，不知道接下来该怎么办了。

与此同时，那匹黑色的种马发现了对方的马群中没有值得顾忌的家伙，于是它低下头，耳朵往后竖起，猛然冲入马群，想把母马和小马驹赶到它的马群中。

一直保持中立的鹿皮色马看到一匹匹母马就这样从自

己身边被赶走，终于发怒了。当那匹黑色种马再次朝它冲来的时候，它不再躲开。几秒钟后，两匹实力相当的马儿纠缠在了一起。它们在扬起的漫天尘土中越打越远，一直到离开马儿们的视线。

没过多久，那匹黑色的种马回来了，得意扬扬地摇着脑袋，一副不屑的样子。

黑马看到了斯摩奇，向它冲了过来。斯摩奇勇敢地迎上前去，开始战斗。战斗很激烈，可持续的时间很短。斯摩奇踢了对方几脚，只让它身子晃了晃，反而使它变得更加疯狂。

当斯摩奇转身开始又一轮攻击的时候，黑马后腿直立，然后猛力扑向斯摩奇，紧紧咬住了斯摩奇的肩部。斯摩奇挣脱开来的时候，肩部已经少了一块光滑的毛皮。

斯摩奇尖叫一声，胡乱踢了几脚，转身面对黑马，打算怎么用牙齿和前蹄给它点儿厉害瞧瞧。不过黑马不给它任何机会，很快也转过身来，两只后蹄啪啪地砸向斯摩奇的肋骨。空气中传来了回声，之后是斯摩奇痛苦的呻吟声。斯摩奇再也没有勇气给予黑马还击，它用尽最后一丝力气，摇晃着逃开了。它一直跑啊，跑啊，直到离那匹黑马已经很远很远，它才敢回过头来看……

直到有一天，斯摩奇和鹿皮色马遇上了一群母马和几头小马驹，以及一匹种马——一匹年轻的栗色种马。枯燥乏味的日子才暂时被打断，让斯摩奇稍稍忘掉了一些痛苦。

鹿皮色马像以往一样打量着那匹年轻的种马，当这个年轻的家伙盛气凌人、自信满怀地走出来时，鹿皮色马一眼就看出了它身上的弱点——它太年轻。它的一举一动无不说明这一点，而年轻和无知总是相依相伴的。

于是鹿皮色马并没像以往一样赶紧逃开，而是站在原地看着它，斯摩奇也一样。

三匹马互相蹭了蹭鼻子，头都低了下来，然后随着几声尖叫和几下碰撞，年轻的种马率先踢了一脚。

那一脚踢中了斯摩奇，让它后退了几步。与此同时，鹿皮色马开始了反击。如果不是斯摩奇的加入，这场战斗可能就会以平局告终，双方也可能会同时提出停战。

当那匹栗色种马转过身来，想猛力踢打鹿皮色马的肋骨时，与它只有两步之遥的斯摩奇展开了攻击。刹那间，种马身子两侧同时受到了蹄子和牙齿的重击，顿时乱了阵脚。

种马知道不敌，竭尽全力想跑开。可斯摩奇和鹿皮色马还在不停地发动攻击，直到将种马整个打趴在地上。种马挣扎着从地上爬起来，然后飞速狂奔，而斯摩奇和鹿皮色马这对搭档仍不肯放过它，奋力在后面追赶，直到将它彻底赶出视线。

斯摩奇和鹿皮色马就这样占领了这个新的马群。

接下来的日子鹿皮色马过得很安逸，斯摩奇也感到很满足，它渐渐适应了妈妈不在身边的生活，与新马群里的小马驹一起奔跑嬉戏。

慢慢地，它忘掉了失去母爱的痛苦。过去的种种经历教育了它，它终于成为一匹会严肃思考的马。它懂得了知足，对生命的理解也越来越深刻……

第四章

失去自由

那年冬天原野上的雪厚厚的，草料很难找，马儿们在小山丘上到处觅食，可刨来刨去，也没刨到多少草料。有几群牛跟在后面，马群到哪儿它们就跟到哪儿，用鼻子在地上寻找马儿们吃剩下的干草叶片。

最不受欢迎的暴风雪也来了，养牛的人想尽了一切办法也没能阻止灾难的发生。原野上出现了一个个雪堆，雪堆下面是牛的尸体。

有一些尸体让吃腐食的动物挖了出来，丛林狼争先恐后地上前舔食。

对于斯摩奇和鹿皮色马来说，最糟糕的是被大灰狼盯上，但这事儿最终不可避免地发生了。

那一天，斯摩奇和鹿皮色马同时看到了三匹大灰狼，它们的耳朵马上竖了起来，眼睛一眨不眨地盯着它们。

三匹灰狼越走越近，最后停了下来，贪婪地盯着马群，嘴角流着口水。

斯摩奇从来没见过这种灰狼，但鹿皮色马已经见得太多了，它的身上现在还留着遭遇灰狼时留下的伤疤。看到那三个灰色的身影，它的鼻子重重地哼了哼，这让斯摩奇有了一种预感：这三匹灰狼比它一岁大时遇到过的丛林狼要更难对付。它想冲过去把它们赶跑，但鹿皮色马表现出来的紧张似乎在警告它最好还是不要轻举妄动。

三匹灰狼一路经过很多死尸，但它们都是擅长捕杀的老狼，要吃新鲜的。

现在还是白天，而它们习惯晚上行动。所以它们躲在马群看不到的地方，在周围打着转，一会儿闻闻地上，一会儿嗅嗅空气，以确定山坡上没有危险。怕待会儿来的时候不认得路，它们又朝马群所在的地方看了一眼，把地貌、方位牢牢记在心中，然后才离开。

洼地上的鹿皮色马看出了这些狼的坏心思。它停下了刨地找草料的活，全心全意盯着四周的山脊。那三匹狼的举动让它深感不安。

它忽然意识到这个洼地对它和马群来说是个再危险不

过的地方了，这里视野很窄，等到它们发现敌人的时候，敌人已经近在咫尺了。

于是它带头从洼地离开，跑到一个可以看清楚周围地势的地方。

已经开始蔓延惊恐气氛的马群紧紧地跟着它。连那些小马驹似乎也都预感到了危险在慢慢逼近，个个睁大了眼睛，紧紧挨在妈妈的身边。

月亮升了上来，冻结成冰的雪地里出现了一条路，在月下闪着光。

动物们都停下脚步，以免打破这份笼罩着整个原野的寂静。这种温度下如果吹来一阵风，那里所有站着的动物都会马上冻僵。

马儿们站在一座小山上，在那里它们可以很清楚地看到周围的一切。

它们静静地站着，看上去像是惊呆了，又或者是冻僵了，除了耳朵偶尔动一动，听着或远或近传来的任何一丝声响。

远处传来了丛林狼的嚎叫声，在空气中此起彼伏，就像弹奏起了小夜曲。

丛林狼嚎叫的时候，小山上的马群连眼睫毛都没抬一下，但是听到随后的灰狼的嚎叫时，所有马儿都抬起了头，耳朵朝着声音发出的地方竖了起来，鹿皮色马和其他几匹大马的鼻子开始呼哧喷着气。

斯摩奇跑出去又跑回来，整个马群也都和它一样躁动不安，很快它们一个紧挨着一个开始移动，悄无声息，而三个灰色的影子更悄无声息地出现在了它们身后。

鹿皮色马走在马群的最后面，第一个发现了那几匹狼。它马上冲到马群中间，大声地喷着响鼻，催促大家四处逃散。

四下的寒气被马蹄冲开了，层层冻雪溅到了空中，所有的马儿眼神狂乱，朝着宽阔的平地跑去。

斯摩奇和受了惊的马群一起飞奔。本来它一直都跑在前面，但奔跑使它浑身的血液都沸腾起来，也使它的意识越来越清醒，更激发了它的斗志。

跑着跑着，它忽然有了一个想法，渐渐放慢了速度，看着别的马儿一匹匹地超过它。它想看看那些狼到底有多厉害，能让马群这样子狂奔逃命。

鹿皮色马是最后一个超过斯摩奇的，它一直在忙着照看两匹才几个月大的小马驹。

三头狼慢慢赶上马群了，如果不是斯摩奇，很快它们就会发动进攻。

但斯摩奇的故意落后吸引了它们的注意力，三匹狼果

然上当了，它们转而追起了斯摩奇。终于，它们发现自己是在浪费时间，在前面奔跑的那匹灰褐马不但跑得迅速，而且看起来肌肉结实，远不如那些小马驹们肥美鲜嫩，即使它们追上了它，也没多大意思。

三匹狼决定折回去，继续进攻马群。

斯摩奇发现狼没有跟上来，马上也回头向马群奔去。

此时，三匹狼已经对马群展开了攻击。它们绕过鹿皮色马，向一匹小马驹扑了上去。

鹿皮色马一直把自己看成是那些小马驹的监护者，只要还有一口气，就不可能扔下它们不管。因此，当它看到一匹狼一跃而起，扑向一匹小马驹时，它也飞扑出去，不顾性命地开始了战斗。

这一下极大地出乎了那三匹狼的意料。鹿皮色马声势夺人，一上来就先扑倒了第二匹狼，随即向第一匹狼扑去。第一匹狼放弃了对小马驹的进攻，马上回头迎战。但那时已经迟了，鹿皮色马举起巨大的蹄子，重重地踩了下去，一下子击中了那匹狼的下巴，使它再也没有办法张嘴去咬小马驹。接着，它回过身来盯着另外的两匹狼，嘴里咬着几缕长长的灰色狼毛。

第二匹狼从雪地里爬起来，向鹿皮色马扑了过去，就在这万分危急的时刻，斯摩奇赶到了！它快如闪电般从侧面展开了猛烈的攻击，举起一只后蹄，往上踢中了第二匹狼的一条前腿，那条腿就像被刺刀割过一样掉了下来。

现在，只剩下一匹狼了。鹿皮色马和斯摩奇同时向它发起进攻，三个身影交织在了一起，双方一阵狂咬猛踢。很快，第三匹狼，也是唯一一匹还能动的狼逃走了。

天亮了。在平地上，一小群马正刨着及膝深的积雪寻找草料，它们全都安然无恙，好像根本就不曾遇上过狼群。

到了中午时分，又下起了暴风雪，马群顶着风雪回到了它们昨夜离开的山上，那里有它们可以避风挡雪的地方……

一天，有个骑马的人出现在了离它们 500 米的地方，他骑在马上，手上举着望远镜，看着不远处的马群。当时它们在一处高高的山脊上玩得正欢，全然没注意到有双眼睛正盯着它们。

骑马的人发现了斯摩奇，那匹神采飞扬的灰褐色骏马，一看到它，那人忍不住发出一声惊叹。他靠近了些，更仔细地观察那匹马，如果不是害怕会惊扰马群，让它们起疑心，他还想靠得更近些。不过他也只想知道斯摩奇会跑去哪儿，这样他就能知道以后可以在哪里找到它。他是遥 R 牧场的人。

斯摩奇一点儿都没意识到有人正在窥视它，它跟着马群上山觅食的时候，也根本没想到会有一个人在暗中跟踪它……

那天，一个长腿的骑手出现在山脊上，马群顿时狂奔起来，跑了很远。

尽管如此，它们仍然被赶进了畜栏旁边竖着长长柱子的围栏里。

斯摩奇也在其中，在它的四周，全是粗粗的杨木条围成的栏杆。

接着，斯摩奇被人从围栏里挑选出来，赶进了旁边的另一个围栏。那里关的一律都是公马，体格和年纪都跟斯摩奇差不多。

那个牛仔走了进来，胳膊上搭着一长捆绳子。看到人类，斯摩奇喷了喷响鼻，马上撒开蹄子往畜栏的另一边跑去。

如果斯摩奇知道它的恐惧会让它吃很多不必要的苦，如果它知道当时那个人纯粹是出于对它的欣赏而一点儿都不想伤害它就好了，可这匹狂野的公马不知道这一切。

那个牛仔很了解像它这样的马。他就是在这样马儿的背上长大的，驯服这样的马是他的工作。

所以他站在那儿，眼睛盯着这匹灰褐色野马所做的每一个动作，毡帽下的脸露出了笑容。

他笑是因为对斯摩奇极其满意，他发现斯摩奇完全有资格做一匹优秀的骑乘马。

绳套准备好了，他开始朝斯摩奇走去。斯摩奇看着他一步步靠近，其他的公马都逃散开来，斯摩奇挤在它们中间，全力向围栏的另一边跑去。正在这时，它听到绳子的嗞嗞声，慌乱中低头一看，那个蛇一样的东西已经套在了它的两条前腿上。

它在空中翻腾跳跃，尽力想挣脱，但无济于事。那蛇一般的绳索紧紧地套在它的腿上，它一跳跃，就感觉两条前腿似乎要被拉扯得脱离它的身子。在空中翻了个身后，它侧身摔到了地上，它挣扎着想站起来。

那个牛仔对它说："现在乖乖躺着，我可不想让你那漂亮的皮蹭掉一块！"

斯摩奇躺了下来，它没有选择，因为几秒钟后它的四肢都被绑了起来。它躺在地上，不明白自己为什么这么轻易就被绳子套住，然后被放倒在地，全身上下只有头能动。

很快，它的头被套上了一个马笼头。它感到鼻子周围似乎有生牛皮做的一格格的东西正贴上来，脖子上也很快被绕了一根臭烘烘的绳子。而与此同时，那个人嘴里不停地发出声响，声音很轻，听上去似乎也不烦扰，那个人在跟它说话。

牛仔抚摸了几下它的前额，然后站起来，扯掉了紧紧绑着它脚踝的绳子。它的脚自由了，但是它的脑子依然很困惑，所以它还是躺着没动。接着，它感到笼头上的绳子被牵了一下。

牛仔告诉它：“站起来。”斯摩奇站了起来，又浑身是劲儿了。

斯摩奇的蹄子不停地乱抓，头抬着，鼻子呼哧喷着气。它的脚自由了，它又可以支配它们了。它狂乱地踢着，用尽全身的力气和办法想从那个用一根长绳牵着它的牛仔身边逃开。

可是牛仔手里的绳子变着花样，牢牢地牵着斯摩奇。那牛仔打开门，走到一直站在旁边的一匹马身旁，跨上马背，在斯摩奇身旁绕着圈儿。斯摩奇见那人离自己差不多有 10 米远，认为逃跑的机会来了，马上一跃而起，径直朝门外跑去。

它才跑出门，就觉得有什么东西把它拉住，使得它不得不停下脚步，那牛仔并没有松开绳索。门在斯摩奇身后关上了，骑在马上的人也跟了上来。那牛仔下了马，将绳子的一头系在了一根大木头上。

牛仔看了斯摩奇一会儿，然后开口说："喂，小马儿，对绳子不要太粗野。如果你能好好待它，它也会好好待你的！"说完他骑上马，朝畜栏骑去。那里还有更多的野马等着他一个个驯服，就像刚才对斯摩奇一样。

拴着斯摩奇的那条绳子，还有那根大圆木，让斯摩奇第一次认识到自己怎样可以为人类所用。它越是想挣脱开来，就越清楚自己的一切挣扎撕咬都是徒劳。终于，它放弃了所有的挣扎。

它看着绳子，看着绳子那头拴着的粗大圆木，渐渐意识到它以往自由自在的生活，以及它所热爱的一切都结束了，它不知道接下来会发生什么……

第五章
驯马计划

关押马群的大围栏上方总是弥漫着阵阵尘土，克林特——遥 R 牧场的驯马师——正忙着驯服那些新来的野马，让它们套上马鞍，成为优秀的坐骑。那些野马总是不愿乖乖听话，所以他不得不与它们斗智斗勇。

他一次驯十匹马，等驯服后，就把马交给牧场，然后再接十匹。

克林特在牧场工作快两年了，驯服了近八十匹野马。他以前也在其他牧场工作过，还从来没有他驯服不了的马。但是，同野马的较量渐渐让克林特感觉力不从心了——他驯服的每匹马都没让他省过心，对他的体力和脑力都是极大的考验。

克林特还没成年的时候就骑着野马到处跑了，现在他三十岁，已经接近退休的年龄。在牧牛场里，因为工作强度过大，牛仔们年纪轻轻身体就垮掉了。马儿们则幸运得多，它们总是长得肥肥壮壮。不过牛仔们从不会抱怨什么，因为在这世界上没有人会比他们更愿意看到他们的马健健康康的。

对于克林特来说，马就是他的生命。他全心全意地爱着它们，他最大的乐趣就是待在挤满了马的马栏里，抚摸着它们，让它们听他使唤。当看到某匹四岁大的马乖乖学会他所教的东西时，他总会感到心满意足，比拿到工资还要高兴。

有些马让克林特实在喜欢得不行，弄得他往往会忘掉自己只是受雇的驯马师，这些马属于牧场，而不属于他。当看到其他牛仔把他刚开始训练的野马从他面前带走消失在远处时，他会非常失落。不过他坚信总有一天，他会遇上一匹真正心爱的马。

第一眼看到斯摩奇的时候，克林特的心就被紧紧抓住了。他透过围栏看着被拴在外面的斯摩奇，感觉它就是自己想要的那匹马。自己如果没钱买，那么偷也要把它偷过来。就算他既买不起也偷不来，他也愿意为它做任何事。

在与斯摩奇接触的这两天里，克林特抓住一切机会来表达自己对它的喜爱，赢得它的信任。如果拴着它的绳子绞缠得太厉害了，克林特就会走过去把绳子理好。慢慢地，斯摩奇对克林特不再那么抵触了，没过多久，它反而感到只要克林特一靠近，自己就会舒服一点儿。

第二天晚上，结束了一天的工作，克林特从马群出来往拴着斯摩奇的木桩走去。他走到离斯摩奇几步远的地方，卷了根烟抽，然后站在那儿看着它。

“斯摩奇（smoky，意为烟雾似的），你真是匹好马！”

“斯摩奇”这三个字从克林特的口中无意识地蹦了出来。从此，这匹灰褐色的公马有了自己的名字。

克林特给很多马取过名字，往往是根据它们的颜色、大小、体形，或者它们的表现而随口取的。他会叫一匹高头大马“矮子”，也会叫另一匹矮小的马“天高”。通常这些名字与实际一点儿都不相符，但总有一些道理，就跟他管那匹灰褐色的公马叫“斯摩奇”的道理一样。

斯摩奇看上去真的就像一团亮闪闪的灰烟，当它不肯乖乖听话的时候，那样子也就像它的名字一样，似乎真的要化成烟跑掉——它与克林特接触的时间还不长，还没建立起信任。

他走近了几步，而斯摩奇则往后退到了绳子的尽头。

当它发现再无退路时，就喷着响鼻，抬起蹄子去挠绳子。克林特见状放慢了速度，但没有停，仍在往前走，一边走一边说着话，走到离斯摩奇不到半米远的地方——一伸手就能摸到它——他站住了。他右手抓住了绳子，伸出左手轻轻地抚摸斯摩奇两眼间的部位。斯摩奇缩了下脖子，鼻子又开始喷气，但是它忍受着。这样过了一会儿，它感到那只手摸向了它的额头，一直往上，快到它的耳朵了。

正当克林特快要摸到它的一只耳朵时，斯摩奇在他的袖子上蹭了蹭鼻子，闻了闻，然后突然一口咬住了他的胳膊。这样的场景克林特以前碰到过很多次，他也早有心理准备，他知道斯摩奇应该只会咬掉块衬衣布，而不会咬到他的肉。

克林特一边继续着刚才的动作一边说："喂，别不听话，我只想摸一下你的脑门！"

最后他终于摸到了斯摩奇的脑门，来回搓了一会儿。斯摩奇抬起前蹄踢了他一下，克林特躲开了，手里的动作一直没停。他从斯摩奇的左耳摸到它的脖子，然后顺着脖子往下摸到了它的肩膀，帮它梳理鬃毛，捋顺打结的地方。斯摩奇全身发抖，不时地缩缩脖子，但克林特一直不停地抚摸着它，直到斯摩奇开始变得温顺。

与此同时，克林特还一直同它说着话，他跟其他马可

没这样说过话。斯摩奇要是能听懂，它就会明白它以后的命运会怎样，但斯摩奇一点儿也没去想以后的事，眼前的事就已经让它很烦了，它也一刻不停地看着那个人所做的每个动作。

克林特从它的肩膀一直摸到了它的背上，说：“如果你只是一匹普通的野马，我不会在你身上花这么多精力。明天你就会发现自己在围栏里面，而我骑在你的背上，再过一个月就把你交出去，成为备用马群中的一匹。但是我喜欢你，所以我有个计划，我要一步步把你调教成我的私人坐骑。要是真成了，这里的每个牛仔都会嫉妒我有这么一匹好马。我一定要把你调教成那样的一匹马！”

克林特对斯摩奇的调教就这么一步步稳扎稳打地开始了。他把自己所掌握的一切驯马的技术全用上了。他花了很长时间给斯摩奇订了一个训练计划，好让它能够朝预期的方向发展。

一天傍晚，克林特解开了拴在大木桩上的绳子，开始牵着它往围栏走去。斯摩奇跟在后面，温顺地让他牵着。在经过那扇柱子围成的大门时，它的心怦怦狂跳，眼睛盯着一切可疑的东西，它很好奇接下来会发生什么。围栏的一边挂着一个磨得亮光光的东西，让它疑惑地喷起响鼻，想要逃开。克林特跟它说着话，安抚着它，牵着它继续走。他们走过了另一扇门，进了一个小一点儿的圆围栏。围栏的正中间竖着一根翘翘的大柱子，柱子旁边有一大块皮革样的棕色东西，闪闪发亮——那是克林特的马鞍。

“好了，小马儿，表演马上就开始了，你先来闻一闻马鞍的味道！”

克林特说这话时已经转过身来，开始摸斯摩奇的额头。斯摩奇被抓以来头一次没把注意力放在牛仔身上，那块皮革一样的东西引起了它极大的兴趣。它的耳朵对着那个东西竖了起来，双眼冒着光，打着响鼻，心里充满了疑惑。

克林特对它说：“看着它，朝它喷气，或者用蹄子挠它，你喜欢怎样就怎样。你先好好跟它熟悉熟悉，然后才能共事。我不会心急的！”

克林特一点儿也不心急。他让斯摩奇与马鞍隔开一小段距离，好笑地看着斯摩奇的动作，一边看，一边摸着它的耳背。斯摩奇很想逃开，但克林特说服了它。他让它就在附近转转，它只有这个事可以做。

那时马鞍那边只要有什么动静，斯摩奇肯定会受惊逃开，克林特就再也无法驯服它了。不过那块皮革没动，一点儿都没动。渐渐地，斯摩奇觉得那东西看上去不怎么危险了，它开始环顾四周，看看围栏里是不是还有什么别的讨厌的东西，最后，又把目光投到了克林特身上。

到了这会儿，克林特才走过去把马鞍轻轻提了起来，朝斯摩奇慢慢靠近。斯摩奇喷着响鼻往后退，但克林特的步伐很坚定。斯摩奇一直后退，直到背部靠到了围栏，再没地方可退了，而克林特却越走越近。斯摩奇害怕得趴了下来，四肢直直地伸到前面，头都快碰到地了，趴在那儿一动也不敢动。

克林特觉得差不多了，于是再一次把马鞍放到了地上，拿起一条旧的鞍褥扇起了风，一边扇一边朝斯摩奇走去。斯摩奇好奇地瞪着眼，紧紧盯着发生的一切。它想阻止那个鞍褥前进，于是威胁地喷着响鼻，甚至想转身踢上几脚，但那条褥子仍旧越靠越近，越靠越近，最后碰到了它的腰。斯摩奇缩了缩身子，踢了几脚，奋力想跑开，但是它根本没有办法离开，克林特牢牢地牵着绳子呢。

在移动鞍褥的整个过程中，克林特一句话也没说，因为这是必要的训练内容之一，进行时必须非常安静。鞍褥一会儿绕过斯摩奇的腿，一会儿绕过它的脖子，发出嗖嗖的声音，这项训练对一头刚来的野马来说实在是很恐怖的一件事。斯摩奇不断地踢腿，尖声大叫，因为太害怕，它都没有意识到自己其实并不感到疼痛。

慢慢地，不知是因为筋疲力尽，还是已经晕头转向，斯摩奇变得消停了些，踢出去的腿不那么用力了，最后它整个停了下来，只有当褥子碰过来的时候缩一缩身子。

尽管斯摩奇很害怕，但它终于明白，不管那鞍褥看上去有多可怕，它伤害不了自己，这有助于培养斯摩奇对克林特以及他的配套工具的基本信任。

克林特注意到斯摩奇安静了下来，开口说话了："你很快就会喜欢这个的！"

说完，克林特扔掉了拴着斯摩奇的绳子，更用劲儿地抖动着褥子，用它盖盖斯摩奇的背部、四肢，接着又把褥子铺在地上，从斯摩奇脚底下抽过。从头到尾，斯摩奇只是竖着一只耳朵听着。

克林特直到确定斯摩奇再不会因为褥子的碰触而畏缩，才再次拿起了他的马鞍向斯摩奇走去。那个东西发出的嘎吱声引起了斯摩奇的兴趣，它好奇地瞪大眼睛看着。但克林特依旧很小心，手里还拿着那条旧褥子，跟之前一样不停地扇着，想借此来让斯摩奇明白马鞍和褥子一样，是不会伤害它的。

给大多数野马套马鞍的时候，克林特通常会把它们的一条后腿绑起来，这样它们就不能把马鞍从他手里踢飞，同时也让它们明白自己最好老实点儿，不要乱动。当然，对一些性格温顺或前期训练较好的马儿，他只给它们的前脚套上脚绊。因为斯摩奇在前期的表现很好，所受的训练比一般马驹也要多，所以克林特认为只要把它的两只前脚套上脚绊就行了。

克林特的判断是正确的，他很容易就把生皮脚套套到了斯摩奇的脚踝上。斯摩奇朝他喷了喷响鼻，站着没动，因为克林特给它套脚套的时候还一直在扇着褥子。脚套套好后，他拿起马鞍松了松，安到了斯摩奇的背上。斯摩奇预感会有新的事情发生，但它除了听到马镫皮带和束带发出的拍打声之外，没发现什么异样。于是它呆呆地站在那儿，不知道做什么好，只有肩膀两边的肌肉一阵抖动。

斯摩奇甚至都没意识到自己已经被套上了马鞍，直到克林特把套在它前脚上的脚绊除下来，把它牵到一边。随着那一牵，它感到有什么东西绑在了自己身上，怎么也掉不下来。这对斯摩奇来说是一种全然陌生的感觉，这种感觉让它不安，它低下头，猛然弓背跳了起来。

克林特早料到会这样，因为不管系得再怎么松，没有哪一匹野马喜欢被带子束着的感觉。所以当斯摩奇垂下头时，他就做好了准备，稍稍松开了手里握着的笼头绳，等斯摩奇站稳后，再轻轻扯一下绳子，再松开。这招效果不错，既没把斯摩奇掀翻在地，也没让斯摩奇把背上的马鞍给挣脱掉。

当斯摩奇猛地停下来，回头面对着他的时候，克林特说话了："好了，斯摩奇，我可不想你这样浪费精力，如果你想跳的话，等我骑到你背上再跳！"

斯摩奇真的没再乱动。不过这可不是因为它听懂了克林特的话，而是因为它记起自己第一天被拴在围栏外的大木头上时那根绳子让它吃的苦。

一开始斯摩奇把他当成了敌人，对他又咬又踢，但渐渐地它开始信任他，尤其是当克林特过来帮它解开那条长长的缠在它身上的绳子时，或者跟它说话、抚摸它耳朵时。每天傍晚，当牛仔走过来的时候，它的心都会怦怦直跳。它还没意识到，自己已经开始期待那个牛仔的出现了。

而现在，背上多出来的那个马鞍又让它动摇了对克林特的信任，它陷入了困惑：是奋力反抗还是乖乖忍受这一切？

第六章

继续训练

一条 6 米长的绳子一端握在克林特手里，一端套在斯摩奇的头上。克林特站在那儿，看着斯摩奇一脸诧异的神情，有点儿想笑。斯摩奇刚才弓背跳起来，试图把它背上的空马鞍甩掉——以前它背上可从来没束过东西，这让它感到很难受。

“好了，你就先消停一会儿，把头抬着。”克林特一边说，一边朝斯摩奇走去。斯摩奇看着克林特走过来，它的四肢叉得开开的，眼睛里流露出狂野的眼神，鼻子里呼哧喷着气，表达着自己的惊讶。它不知道自己是应该坚守立场开始反抗，还是应该往后退。克林特越走越近，斯摩奇没看到他有任何伤害自己的迹象，就站在原地等待着。克林特一只手摸了摸它的额头，又沿着它的脖子往下摸，一边跟它说着话。很快，斯摩奇狂跳的心慢慢平静了下来。

然后它被牵到了一边。它每走一步都能听到皮革发出的嘎吱嘎吱声，感觉到那个马鞍沉沉地压在自己背上，让它时不时地想跳起来，把那个东西甩下去。

到了围栏的另一边，克林特转过身来，摸着斯摩奇的耳朵说："好了，现在我要跨到你背上，看看你会怎么样？"

斯摩奇感到背上的带子拉紧了，马上就弓起了背。它把背弓成那样，待会儿要跳起来肯定很吓人。克林特本可以牵着斯摩奇走一走，等它弓起的背慢慢消下去，但克林特不想太快扼杀一匹野马弓背跳跃的天性。他认为一匹骏马刚碰上这样的事应该都会做出这样的反应。

于是他任由斯摩奇弓着背，一步都没动——他知道只要动一步，就足以让斯摩奇爆发。斯摩奇看到那个牛仔拉了拉护腿，把帽檐重重地往下拉，再然后它就什么也看不到了，有个什么东西挡住了它的视线，那是克林特的大拇指放在了它的左眼皮上。下一秒钟它就感到背上除了马鞍之外又多了个重物，同时它又能看见了。

但是眼前的一切让它眼睛发直，有半分钟的光景，它像吓傻了一般站着动也不动——那个牛仔本来是站在它身边的，但现在竟然骑到了它的背上！

出于本能，它现在只有一条路可走——本能告诉它不管是那个人还是那块皮革都不应该出现在它的背上，而只要它努力，就很有可能摆脱掉他们。除此以外别无选择，于是它感到自己必须得采取行动了。

斯摩奇低下头，嘴里发出一声怒吼，耸肩弓背，全身的肌肉绷得紧紧的，箭一样蹿了出去，连带着背上的人一起腾跃到了半空。克林特也不闲着，马鞍上的缰绳就像挥动着的鞭子一样扑腾着，皮革发出阵阵嘎吱的响声。斯摩奇奋力踢出的蹄子落到地上，连围栏都晃了起来，地上扬起一阵尘土，看上去就像一团刚刚形成的云。斯摩奇非常害怕，几乎陷入了疯狂和绝望。它把所有能做的动作都做上了，把所有能用的力气和耐力也都用上了，全身上下都投入到了战斗中。

不过，斯摩奇不是克林特的对手，它奋力的跳跃终于慢慢缓了下来，最后整个停了下来，而克林特仍然直直地坐在马背上。

克林特开口了："小马儿，你刚才做得很漂亮。如果马儿没有这样的意志力，我反而会很失望的！"

斯摩奇站在那儿，浑身发抖。它陷入了沉思，想着自己是不是就只能这样孤苦无助，听人摆布。

克林特对斯摩奇说："来吧小家伙，绕着围栏小步跑上一会儿。"

斯摩奇可不愿乖乖合作，它时不时会猛地弓背跳起来，不过克林特没管它，当它的头仰起的时候，他会叫它继续前进。渐渐地，斯摩奇似乎再也没有跳起来的意思了。

"我想今天你也受够了。"克林特一边说着，一边指示斯摩奇往围栏边上靠过去，然后停了下来。他伸手捏住了斯摩奇的左耳，来回揉揉，好让斯摩奇的注意力集中到耳朵上，接着他跨下了马背。

克林特右脚先落地，左脚还在马镫上，身子紧挨着斯摩奇的肩膀，不让它的后腿扫到，这样的姿势他保持了几秒钟。斯摩奇看着他，全身像风中的叶子一样抖动着。它已做好了准备，只要克林特乱动一下，它就会用蹄子把他踹死。

克林特知道斯摩奇的想法。他此时想教会斯摩奇的就是让它乖乖站着，不要耍脾气。这是训练的一部分。接着，克林特再次挺身跨上了马鞍，动作很轻很慢，同时把斯摩奇控制得牢牢的。这可是驯马师的独家本领。克林特跨上马背的时候，斯摩奇甚至都没感到马鞍上有拉扯的感觉。

克林特就这样上马又下马，来来回回做了几次。斯摩奇站着，浑身发抖，心里很害怕，一动也没动。要么它意识到跟那个牛仔斗是没用的，要么就是它累了。不管怎样，斯摩奇一直站着，直到它感觉绑在身上的带子松了，马鞍被又轻又慢地取了下来。

克林特把马鞍放到了一边，用一个粗麻布袋揉搓斯摩奇的背。每搓一下，斯摩奇的嘴唇就扯动一下，表明它感觉很好。每当克林特停下来的时候，斯摩奇的动作就清清楚楚地表明它还想再搓，于是克林特又搓了起来。

克林特一边揉搓着，一边咧嘴笑着说："我担心我会把你惯坏了，你看，我们才进行了第一次马鞍训练，你就已经开始要好处了！"

克林特白天一直在忙着驯另外九匹野马。等活干完后，他来到拴着斯摩奇的地方，把斯摩奇牵到了它几天前第一次到过的那个围栏里。

克林特看到了斯摩奇眼里的光芒，立刻就明白了，它的每一个动作，所有一切都意味着反抗。

他一边把帽子拉下来，一边说："淘气鬼，我很高兴看到你身上有这么顽强的意志。但是如果你想反抗，那我也将不得不对你采取行动，希望赢的那个人不是出于侥幸。好了，来吧！”

克林特把手放在它的左眼上，然后跨上了马鞍，而与此同时，斯摩奇只稍稍摇了下头。克林特不想看到这样一个小动作，因为这就像斯摩奇给他的一个警告，警告他第二次较量会比第一次更激烈。

野马第一次受训时的腾跃和以后受训时的腾跃往往会有很大的不同。克林特第一次骑到斯摩奇背上的时候，它完全被吓住了，当然它一心想着要把那个牛仔、马鞍，以及所有的一切都甩下来，但因为受惊过度，绝望的它都没有去想怎样才能达成所愿。上一次的较量让斯摩奇明白了光靠跳起来是不会对那个骑在背上的人构成威胁的，它必须得运用一点儿技巧，要保持头脑冷静，研究出那个人可能有的弱点，然后专门攻击那些弱项，直到最后地上掉下来一个身影，告诉它那个牛仔已经不在它背上了。

克林特骑在斯摩奇的背上，看上去非常轻松。就在这时，斯摩奇突然跳了起来腾到半空中，弯来扭去，整个身子似乎断成了两半。它感到背上的那个人好像整个人都往一边移了一点点儿，这正是斯摩奇想要的，自从它的身上拴了绳子后，这还是头一回得到鼓舞，它想，也许它迟早能把那个牛仔甩下来。胜利的希望为它提供了新的能量，它没给那个牛仔任何在马鞍上重新坐稳的机会，更疯狂地跳了起来，希望它背上的那个人就此失去平衡。它一面顽强地反抗，一面密切注视，不过，并没有迹象表明那个牛仔会就此落败。克林特身子倾向一边，坐到了马鞍的突起上，无论斯摩奇怎么发疯、颠簸，他就是挂在那儿，左手抓着笼头绳，右手在空中挥动，保持着身子的平衡。

随着战斗的延续，斯摩奇开始犹疑起来。它思考了那么长时间，用了那么多不同的战术，从各个角度进行了攻击，居然还是不能成功。它有点儿累了，气喘吁吁地又跳了几下，力道大到足以让大地为之震动。但是当它看到那个人还骑在它背上时，它终于又陷入了绝望，变得愤怒不已，失去了理智似的狂吼乱叫，全然忘了自己研究出来的把骑在它背上的人甩下来的办法。

很快，斯摩奇筋疲力尽。最后蹦了几下之后，它停了下来，叉腿站着，大口大口吸着气。趁这当儿，克林特翻身跃下了马背，而斯摩奇一点儿也没留意到他，只是隐隐约约感到克林特的手揉搓着它的耳朵，梳理着它的鬃毛。

克林特说："我早料到你今天会把我颠得不轻！"

有件事斯摩奇不知道：在他们较量的过程中，克林特无时无刻不感到自己会从马鞍上摔出去。他刚才那样整个身体都侧向一边，其实只能支撑一小会儿，只要斯摩奇能够保持理智再坚持一会儿，克林特就有可能被甩下马来。

可怜的斯摩奇又输了，但是某种意义上它赢了——它赢得了一位牛仔的心，因为这场较量后，克林特的情感完全让这匹小马给占据了。斯摩奇表现出来的思考能力以及意志，都让他深为赞赏。

就这样，斯摩奇慢慢开始习惯现在的生活。虽然这个小淘气蛋偶尔还会跳起来反抗，但这种反抗已经不像前几次那样可怕了。它只不过觉得自己需要跳一跳，这让它感觉好受些。

跟昨天一样，斯摩奇今天又出去跑了一大圈，克林特让它掉了几次头，训练它对缰绳的感知能力，这一天就这样过去了。斯摩奇渐渐适应了克林特的训练计划，而训练中不断更新的项目，开始引起斯摩奇的兴趣。

有一天，克林特骑到它背上的时候，手里拖着一根长绳。斯摩奇只是留意着别被那根长绳绊倒。克林特把绳子卷了起来，在空中甩来甩去。刚开始时甩得很轻很慢，打的圈也比较小。斯摩奇觉得很好玩，不时往后看看，轻声喷了个响鼻。克林特又要做什么呢？它很想知道。

渐渐地，绳子在空中飞舞起来，打的圈越来越大。有几下克林特把绳子唰地笔直甩出去，再拽回来，把斯摩奇吓得退后了几步，鼻子里呼哧喷着气。但斯摩奇一点儿都没想要逃开，它没有忘记绳子曾经带给它的教训，它早就懂得如果附近有绳子的话，自己最好安分一些，因为那些绳子总有办法能把它绊住，不管它愿不愿意。

绳子一次次打上圈，甩出去，然后再拽回来，忽而在左，忽而在右，忽而在前，忽而在后。慢慢地，不管绳子怎么甩动，斯摩奇都不感到害怕了。

就在它开始对这项游戏感到厌烦时，克林特再次甩出了绳子。这一次，绳子圈住了一小丛灌木。斯摩奇下意识地开始往后拉——它这么做不是因为它知道自己应该这么做，而是因为它想搞清楚它拉着的是什么东西。灌木被拖着径直朝斯摩奇的方向移过来，越来越近，越来越近。斯摩奇忽然害怕起来，要不是克林特拉住了它，它早就跑开了。

当灌木碰到斯摩奇前脚的时候，它再次挣扎起来，鼻子里喷着粗气。克林特将灌木沿着斯摩奇的肩膀往上移。斯摩奇感到非常不安，它狂跳了几下，想把灌木甩开，但无济于事。最后，克林特解开绳子，把灌木抛到斯摩奇的鼻子底下，让它看清楚这丛灌木根本就不是什么可怕的玩意儿。

接下来，克林特又套住了其他的东西：树桩、枝干、旧马车上的零件等等，所有能拖动的东西都套过了。斯摩奇渐渐明白每次它的受惊和反抗都是没有必要的。到最后，不管克林特拖过来什么东西，斯摩奇都只是随便哼下鼻子，再也不怕了。哪怕克林特哐啷哐啷地拖来了一个旧煤油罐，斯摩奇也毫不理会。

在这个过程中，斯摩奇学会了拽住绳子往回拉，也学着拖动和一头一岁大的牛犊差不多重的东西。克林特逐渐训练它把绳子拽紧并保持不动，等他轻轻地扯动绳子时再松开。这很花时间。每天克林特只教斯摩奇一项内容，有时候甚至是一项内容的很少一部分。但是随着时间一天天过去，斯摩奇学到的东西越来越多了。

克林特看着斯摩奇学东西的样子，心里很安慰。他看着它的小耳朵前后摆动，眼睛紧盯着他的每一个动作，只要是它没见过的，它鼻子就会兴奋地抖动起来。克林特发现斯摩奇对他越来越信任，当它碰上新的情况束手无策时，只要他说句话或者用他的手碰碰它，它立马就会安静下来，这让克林特感到非常高兴。

有一天，克林特开始追赶牛群，为的是教会斯摩奇在对付这种动物时需要注意的问题。他把斯摩奇赶到牛群中，截住一头肥壮狂野的小牛犊，然后训练斯摩奇把注意力全集中在这头牛犊身上。刚开始的时候，斯摩奇一点儿也摸不着头脑，但克林特并不着急，耐着性子教它。几天以后，斯摩奇就开始有点儿明白其中的诀窍了。与此同时，抛绳子的训练也没落下，这两种训练是结合在一起的。偶尔克林特会套住一头壮实的小牛，当牛想要奋力挣扎着跳起来时，他会让斯摩奇拽着绳子，不让牛逃脱。

斯摩奇很喜欢这一切，它对此兴趣十足。它喜欢追赶眼里满是怒火的母牛，在它不想掉头的时候让它掉头，逼得它走投无路。它也喜欢紧紧拽着套在某头牛身上的绳子，感到只有自己才能把它们控制住。这对它来说就像一场游戏，在这场游戏中，它面前的所有动物必须按它和那个牛仔的意愿行事。

第七章
真情流露

捷夫·尼科思是遥 R 牧场的牛场老板，现在正骑着马，一路往克林特驯马的马棚骑去。春季的活干完了，捷夫想着是时候一个人骑马出来溜达溜达了，顺便去看看牧场的各个棚区。所以他把马车队的活丢给了代班，骑上最好的马，一路往遥 R 牧场所属的范围骑来。

捷夫骑在马上，习惯性地留意着周围，突然他注意到右手边远远地扬起一道细细的尘土，他一眼就肯定那是马拖着步子移动时带起的尘土。

他停下马，想看得更清楚些。很快他就看到尘土下是一匹马的身影，身上驮着什么东西，正拖着步子慢慢地走。

捷夫在原野上见过很多发生在人和马身上的事，看到这种情形，首先要怀疑是不是出了什么事，而且必须马上探明情况。于是他策马快跑起来，一路蹚过洼地，翻过起伏的山丘，很快离出事的地点就只隔一座小山脊了。

这时候他觉得自己最好放慢速度，等看清楚发生了什么事再说。要是马翻倒，骑在马上的人让缰绳给绊住，而那匹马又野性难驯的话，这时他如果快步跑过去，只会让事情变得更糟，可能还会让那匹马因受惊而狂奔起来。

所以他下了马，往前走了几步，透过又高又密的青草往外看，只一眼他就明白发生了什么事。他下面 50 米的地方有一匹灰褐色的马，根据马笼头套着的样子来看应该是仍在进行训练的野马，但那匹马现在做的事连大多数已被完全驯服的马儿也做不到：它背上驮着一个人，应该是一半驮着一半拖着。

捷夫认出那个人正是他的“驯马专家”克林特，马上就想冲下去看看到底发生了什么事，好施加援手。但他克制住了。他不确定那匹马看到他会不会受惊跑开，他也不确定克林特那样吊在马背上，手有没有紧抓住鞍角。

捷夫继续观察着，很是纳闷。那匹马正径直朝克林特的马棚走去，它看起来更像是扶着背上的人往前走，每一步都很小心，生怕伤害到那个人。那匹马观察着那个人的每个动作，那个人一有点儿跟不上，它就会停下来或放慢速度，直到那个人打起精神，才继续往前走。

捷夫看着眼前的一切，惊讶得张大了嘴。过了一会儿，他看到那匹马走到一块大岩石跟前停了下来，而那个人正试着借助岩石翻到马鞍上去。

捷夫心想："我见过的、打过交道的马少说也有上千匹，但我从来没想到还会有这么聪明的马！"

克林特奋力翻上马背的时候，捷夫在一旁观察了近半个小时。他看到那匹马耐心地站在那儿，尽可能地帮它的主人爬到它的背上。最后，克林特终于坐到了马鞍上，缰绳松松地挂着，但那匹马只是迈着步，脚步又轻又慢，耳朵往前竖着，小心地驮着它的主人往马棚走去。

捷夫骑上马，远远地跟在后面，忍不住自言自语："真是不敢相信，它居然还让克林特从那一边跨到它背上！"

几个小时后，到了马棚。捷夫骑马上前，环顾那些围栏的四周，寻找着克林特和那匹灰褐色野马的踪迹。他们果然在那——克林特还坐在马鞍上，看上去昏了过去，而那匹马正站在围栏的门边，静静地等待着什么。

捷夫策马朝他们骑去，但他很快就不得不停下来。那匹马看到了他，然后不安地动了起来，似乎在警告他不要靠近，不然它就不会老实待在那儿了。捷夫不得不远远挪开，沿着原路退回去，直到消失在那匹马的视线之外。他四处绕着圈，最后从另一边绕到了围栏边上，同那匹半驯服的野马以及它昏迷的主人隔开几个围栏和一个长长的棚屋。

捷夫把他的马牵到一旁，然后猫着腰走到棚屋边上，透过墙上的小洞往那匹灰褐色马刚才待的地方看过去。那匹马还在原地，克林特也还在马鞍上。接下来怎么办让捷夫犯了难。他不想让那匹马受惊跑开，把骑在它背上已经受了伤的克林特摔下来，但同时，他又不能让克林特就这样一直待在马背上。

最后他只能冒一次险。捷夫绕过棚屋的一角，迈着轻轻的步子，慢慢出现在了那匹马的面前。他看到马的眼里冒着怒火，于是跟它交谈起来。这似乎有点儿用，因为那马站着没动。它站着没动是没错，但捷夫有点儿犹豫是不是要继续靠近——他注意到那匹马的眼睛里闪过一抹光，那分明仍是在警告他不要再靠近。虽然捷夫对那匹马的举动又气恼又不放心，但它所表现出来的对它背上那个人的关心又让他忍不住赞赏不已。克林特仍然坐在马鞍上，昏迷不醒，头倒在它弓着的脖子上。

斯摩奇长这么大，除了克林特，还没见过其他人。它认识克林特，但它不认识其他人，它对陌生人的感觉就跟它第一次从自由的原野上被赶进围栏时对人类的感觉一样。除了克林特，其他人都还是它的敌人，所以在它感到它的搭档最需要它的时候，那个陌生人要再敢靠近，它一定会把那个人踢个半死。他是它的敌人，所以它认为他肯定也是克林特的敌人。

捷夫站着想了好一会儿，试着去体会那匹马所表现出来的感情。他不可能去伤害或杀死这样一匹马来接近克林特。正当他决定去拿绳子套住马头，并把它拖到围栏里时，他看到克林特动了一动，好像醒了过来。

捷夫大叫了一声："醒醒，克林特！快下马！"

克林特朝发出声音的地方抬了抬头，慢慢地明白了自己的处境。他试着在马鞍上撑起身子，脸上露出痛苦的神情。他花了好长时间，才在捷夫的指导下抬起一条腿跨过了马鞍，接着整个身子滑到了地上。斯摩奇像雕像一般一动不动地站着，眼睛紧紧盯着捷夫，像是在警告他不要上前，捷夫当然没敢动。

捷夫继续他的指导："紧紧抓住马鞍，把马牵到围栏里，我来把门关上。"

一切完成得很及时，门关上的时候，克林特的手软了下来，整个人摔到了地上。幸运的是，捷夫的手穿过围栏杆可以够到他。

最后，捷夫把克林特抱起来，朝房子走去。一边走，一边忍不住回头看看，虽然关着斯摩奇的围栏又高又结实，他还是有点儿担心那个围栏是不是可以把它关住。

天暗了，克林特才清醒过来，能够开口说话了。

捷夫煮了些肉干，盛了一大碗汤，端到克林特的鼻子下面，让他闻一闻。

克林特看了一眼四周，问：“斯摩奇在哪儿?”

“如果你说的是刚才骑着的那匹灰褐色的老想跟人打架的讨厌鬼，它在围栏里正担心我把你吃了呢!”

克林特这会还不太明白捷夫的意思，于是接着问：“你能不能帮我把它的马鞍卸下来，然后把它拴到木桩上，那样它可以吃点儿东西。它很温和，会配合你的。”

捷夫大笑起来：“温和？就算你把整个牧场送给我，我也不想跟它打交道!”

斯摩奇在围栏里转来转去，一点儿都没留意到马鞍还套在身上，它对草也毫无兴趣。它非常恼怒，也非常焦虑。任何一种会思考的动物，如果搭档病了或者要死了，肯定都会感觉很不一样。斯摩奇就像人一样清楚地知道它的搭档出了事，而这时候竟然有个陌生人出现在它面前，把它的搭档带走了，这让它越发不安。

第二天，捷夫帮助克林特下了地，然后半搀半扶着他朝关着斯摩奇的围栏走去。克林特一个人摇晃着进了围栏，斯摩奇嘶叫着迎了上来。它的耳朵全往前竖着，眼里神采奕奕，专注地看着他，似乎有问题要问。然后它看到了捷夫，神情一下子就变了，眼里冒出怒火，耳朵缩到了后面脖子的位置。

克林特注意到了斯摩奇的动作，开口说："好了，你要害我挨骂了。"

他回过头去看捷夫，咧嘴笑了起来。捷夫可没觉得这有什么好笑的，他知道自己最好走开一会儿。

克林特把马鞍卸了下来，牵着斯摩奇去好好吃了点儿草，喝了点儿水，做这一切花了很长时间。

最后他仍然在捷夫的帮助下回到了房子里。

克林特在床上躺了一会儿，开口说话了，那是件他已经盘算了很久的事。

他说："捷夫，我不想再当驯马师了，是时候结束了，尤其是发生了这样的事以后。"

捷夫问他："到底发生了什么事？"

克林特开始讲述他受伤的经过："全都是因为一头愚蠢的母牛。它看到我骑着马追它，想逃开。它很机灵，跑得也很快，于是我就让斯摩奇把它逼得几次掉过头来，我想这对斯摩奇来说应该很好玩。我把绳子甩了出去，但没套准，大概就扔到了它面前的什么地方，结果它一脚踩了上去。我把绳子往回拽，可能是我拽得太猛了，那头牛突然整个栽倒在地。以斯摩奇的速度，它根本不可能刹得住，一头撞在了那头牛的身上。那头母牛很快就爬了起来，很不凑巧，它刚好碰到了斯摩奇的前蹄。斯摩奇带着我腾到了空中，我们翻了好几个跟斗才落到另一边的地上。接下来我就什么都不记得了，我只感到我背上重重的，就是这些。我几天后应该就会好了，但这个伤痛会一直跟着我，我身上其他部位似乎也都折腾够了。如果你能让我到马车队去干活的话，我会非常乐意有人接手我现在的活。”

克林特停了一会儿，接着又说：“但我有个请求，捷夫，如果你允许我继续留在牧场，我希望你能同意让斯摩奇和我在一起，只要我在牧场一天，它就在我身边一天。”

克林特说完，一脸焦急地等着捷夫的回答，但是捷夫并没有马上给出答复，而是问了克林特几个问题。

“克林特，你驯那匹马有多长时间了？”

克林特有点儿纳闷捷夫为什么会问这个问题，回答说：“两个月，可能还要多一点儿。”

“大约一个月前，是不是有几个人过来要把你驯的野

马都带走？”

“是的。”

“那么，为什么那个时候你不让他们把斯摩奇一块带走呢？它那时应该已经跟那些被带走的野马一样听话了，是不是？”

听到这儿，克林特瞟了一眼他住的再简陋不过的屋子，然后咧开嘴笑着说：“捷夫，我想你知道为什么。”

捷夫当然知道为什么，那些人来带走那些驯了一半的野马的时候，克林特把斯摩奇藏了起来。捷夫也笑了，把手搭到克林特的肩膀上，好像在说他理解。

捷夫说：“只要我还在牧场，我就会非常欢迎你加入马车队，成为我的手下。克林特，我还是会给你最高的工资，以及我这里最好的马。至于斯摩奇，我肯定也会喜欢那匹马的。”

克林特的心提到了嗓子眼上，差点儿没把他呛住。

捷夫继续说：“是的！我也想要它，但是，我想过了，觉得那匹马应该属于你，而不属于牧场，也不属于我。它是一匹只能属于一个人的马，你就是那个人，克林特，因为我看到了你们之间的一切。”

克林特以为自己几天后就会好起来，可是一个星期过去了，他的上半身还是没什么劲儿，他感觉自己的背跟断了似的，根本没力气坐直，甚至都没办法去拿马刺。

一天，马棚来了一位新的驯马师，接替了克林特的工作。

捷夫走后，克林特开始用一种崭新的眼光来看斯摩奇。捷夫的到来把那匹小马内心的情感激发了出来，克林特做梦都没想过马的身上会有这种情感。对于自己居然能够让斯摩奇产生这样的情感，他又惊又喜，打心底里感到自豪。那匹马也终于属于他了，他不用再担心会失去它，一切都很好。

一个月过去了，赶牛的马车开始成队出来，忙起了秋天的活儿，而那些带着刚断奶的小牛犊的母牛们，则到处寻找藏身的洞穴。捷夫·尼科思的马车队共有二十多名牛仔，克林特也在其中，此时他正骑在斯摩奇的背上。他休养了很长时间，身体恢复后就又能骑马了。不过骑的不是野马，而是已经驯服的马匹。

斯摩奇也跟着休息了一个月，直到那天早上克林特给它套上了马鞍，骑着它出门。

几天后他们到了牧场，斯摩奇头一次看到了牧牛场的中心驻地是个什么样：牛仔到处都是，多得它都看不过来；大大的围栏里关的全是马，大大的棚子底下也都是马，而且更多；还有无数的马车和帐篷。当那个长得胖乎乎的厨师从一边的圆木房子里冲出来，蹦跳着要跟克林特握手时，斯摩奇喷了个响鼻，往后退开了。

那个男人说话了："克林特，我听说你不再骑野马了，那你现在骑着的怪吓人的马又算哪种马啊？"

"某种马。"克林特回答，咧开嘴笑了。

马鞍卸下来后，克林特把斯摩奇和其他坐骑马关在了一起，这让斯摩奇觉得轻松不少。它打了个滚儿，抖了抖身子，然后开始走上前去跟别的马儿打招呼。没有几匹马希望跟它交朋友，但它一点儿也不在意，忙着从这个围栏走到那个围栏，把所有的围栏都匆匆看了一遍。最后，它碰上了一匹枣红色的公马，看上去有点儿面熟，而那匹骟马肯定也觉得斯摩奇很面熟，因为它们立刻就对彼此产生了兴趣，朝对方迎了上去。

它们低下头碰了碰鼻子，进行了初步的交流。才几分钟后，它们就像两兄弟一样互蹭脖子——而它们的确就是两兄弟。那匹枣红色马就是那匹长大了的小马驹，三年前的一天它妈妈带到马群里来的斯摩奇的弟弟。

它背上也有套马鞍的痕迹。大概几星期前，有个牛仔把它赶进了围栏，在用套绳逮它的时候，还大叫着说："这头枣红色小马可以成为一匹牧牛马！"

捷夫对这句话表示同意，这促成了兄弟俩的重遇。

那天晚上，斯摩奇和其他马儿一块被带到了大草地上。它和它弟弟一出围栏就结成对一起吃草，直到第二天拂晓，一个牛仔把它们全都赶回了围栏，准备新一天的活儿。

它们那天很早就开工了。太阳升起来时，所有的牛仔都已经跨上了他们的马，队伍里还有一辆管炊事的马车，一辆装睡具的马车，还有一辆装木头的马车，三辆马车连在一起，只等捷夫下命令。捷夫挥了一下手，于是整个车队出了大门，离开了牧场。三辆马车一字排开，后面跟着两百匹坐骑马组成的备用马队，在队伍的两边是牧牛场的全部牛仔，骑着马儿慢慢前进。

秋季围捕就这样开始了。

第八章

出发围捕

对于斯摩奇来讲，秋季围捕第一天就像是学校开学，它的眼睛睁得大大的，耳朵仔细听着周围的一切，捕捉着一切好玩的东西。

没见过的东西太多，斯摩奇全身的感官似乎都忙不过来了。

那些马车很大，由四到六匹马拉着，穿过地势起伏的大草原，越过梯田，走过洼地，一路上发出吓人的哐当哐当声。

紧跟在后面的是备用马队，重重的马蹄声让斯摩奇感觉那些马好像正在受惊狂奔。如果不是有只手时不时拍拍它的脖子，有个再熟悉不过的声音一直跟它说话，斯摩奇肯定会逃开，离这乱糟糟的马队和人群远远的。

太阳升到半空了，走在最前面的那个人举起手，画了一个圈，于是整个马队跟着停了下来。

大家忙着扎营，厨师也跟着开始忙活。一眨眼的工夫，绳子圈成的围栏也拉起来了，备用马队被赶到了里面。

不一会儿，厨师对着牛仔们喊道：“小伙子们，吃饭了！”

克林特走到斯摩奇身旁，轻轻摸了摸它耳朵后面，把它牵到了绳子圈成的围栏里，卸下马鞍后，和其他备用马关到了一起。

斯摩奇看了克林特一会儿，好像在问他要去哪儿。接着它就走开了，消失在马群中。

那个收餐具的平底锅上很快放满了锡杯和锡盘，牛仔们嘴里一边嚼着饭菜，一边朝他们堆在绳栏旁边的马鞍走去。

他们从马鞍上解下缠成了一团的绳索，打成圈甩了出去。只见绳圈在空中飞舞，把马套住，那是牛仔在为下午的围捕挑选中意的马。

斯摩奇在马群里穿来穿去，最后被挤到了围栏边。这时，它的耳中听到一个熟悉的声音，那是马刺前端的小齿轮发出的响声。

很快，斯摩奇发现了克林特的身影，他就在离它几米的地方，正牵着一匹陌生的马往他的马鞍走去。

看到克林特，斯摩奇尽可能地伸长了头和脖子，嘶叫了起来，好像在说：“喂，我的搭档，我需要帮助！”

克林特转身看到了斯摩奇，他大声笑了起来：“小马儿，怎么了？”一边笑着，一边向斯摩奇走了过去。

当他接近斯摩奇的时候，他都能听到斯摩奇的心怦怦狂跳的声音。

他轻轻地把手放在斯摩奇的脖子上，也能感觉到它的心跳得厉害。他温柔地抚摸着斯摩奇光滑的背，一会儿他就注意到斯摩奇的心跳没那么快了。这让他感觉很好。

等斯摩奇完全平静下来之后，克林特才去拿他的马鞍，把它套在另一匹马儿的背上。

斯摩奇又感到不安了，它咬了咬克林特穿了护腿的那条腿，好像在说：“再待一会儿吧！”

克林特真的又待了一会儿。

第一次围捕就在那天下午开始了。大多数地方的围捕车队都由三辆马车组成：一辆是厨师坐的，堆放着食物和炊具；一辆堆放牛仔们的睡具，一个个都用大块的防水帆布卷了起来，一般有二十多个，尤其是在六月中旬就有可能下雪的地区，更要多带一些以防不时之需；第三辆马车是堆放柴火和水的，在某些草原上，周围很大范围内可能都找不到树木和水源，所以要准备一些。

厨师驾着他的炊具马车，给厨师打下手的人驾着装睡具的马车，“夜鹰”（晚上看守马群的牛仔）则驾着那辆堆柴火的马车。

这三辆马车组成一个马车队，是牛仔们在野外工作时的家。

马车队几乎每天都会在不同的地方扎营，有时一天就要换上两三个地方，这全看牛仔们干活的速度。围捕的平均范围在 40 千米左右，一天能围捕两次。

当牛仔们散开的时候，马车队可能会换个地方扎营，但围捕的终点都以马车队所在的位置为准。距离营地 1 千米的地方有个安置牛群的分流场，每次围捕抓获的牛都被赶到那里烙上印，不要的就分流出来。

当领班捷夫看到牛仔们正在太阳下骑着马奋力围堵牛群时咧嘴笑了，为自己有这样一群牛仔而自豪。

下午两三点钟的时候，领路的人带大家来到了一个很大的河溪谷底，四周是柳树和杨木围成的小树林，马车队就在这里驻扎了下来。

斯摩奇和它的弟弟佩克思在清凉的小溪里饱饮了一

顿，打了几个滚儿，然后吃起草来。它吃草吃了很长时间，太阳都开始往西边的山脊移过去了。这时，南方远远地扬起了一大片尘土。尘土越来越近，伴随着阵阵轰隆声，很快它能清楚地听到牲畜的怒吼声。好大一群牛！这是第一次围捕的战利品，足有一千多头！

就在这时，照看备用马队的人无声无息地朝它们靠近，把斯摩奇和其他所有的马都赶到了绳栏里。

牛仔们需要换上新马，于是绳套又开始在空中飞舞。很快，所有的牛仔再次骑上马，开始分流他们赶回来的那些牲畜。

马群在低矮的山坡上吃着草，在小溪另一边，牛仔们正在处理那些围捕来的牲畜。

很快斯摩奇灵敏的鼻子闻到了毛皮被烧焦的气味，同时耳朵里听到牲畜吼叫的声音。那是牛仔们正用滚烫的烙铁在牛身上烙下印记。

斯摩奇远远地看着，轻轻打着响鼻，心中充满了困惑。同时在它心中升腾的还有某种渴望，它希望能够了解这全部的过程。

值夜班头班的四个牛仔骑上马，去接替看管牛群的那几个人。

没过多久，原野上迎来了寂静的傍晚。连那些刚刚失去自由的牛似乎也都不愿再叫了，想安静一会儿。备用马身上绑着的铃铛也沉寂下来，马群开始打起了瞌睡。

斯摩奇也很困，但它的耳朵很快又竖了起来，因为它听到了某种它以前从来没听过的声音。那个声音是从营地传过来的，虽然很陌生，但听上去却不算难听。

除了那四个值夜班头班的人，还有晚上照看马群的“夜鹰”，那些牛仔们正围在一个大火堆旁。厨师、厨师的助手、牧工、领班捷夫都在那儿，牛仔们靠着睡具，或坐或倚，静静地听离火堆最近的那个人吹口琴。

斯摩奇听到的就是口琴的声音。吹奏的那首歌很经典，也很流行。

那是一位印第安牛仔传给他儿子的，他死后，他的儿子顺着他的足迹继续前进。这首歌每每都会勾起大家很多回忆，牛仔们在听了这首歌之后也常常会变得伤感。

哦，我是得克萨斯的一个牛仔，
远离了家乡。
如果我还能回去，
一定不再流浪。
怀俄明太冷，
冬天也太长。

围捕又开始，

贫穷的我真悲伤。

牛仔们一起伴着口琴唱这首歌，所有人都唱得很投入，即使唱错了，也没有人在意。

最后一句词唱完了，有些牛仔还想唱，而其他人则把帽檐拉下来，凝视着火苗，让那首歌唤起的思绪将他们带回到那些尘封往事中。

除了木柴燃烧时发出的噼里啪啦声，周围很安静。有个牛仔正想开口报另一首老歌的名字，突然，从备用马队那边传来了一声嘶鸣。

克林特朝声音传来的方向看过去，微笑了起来——那是斯摩奇听到了克林特的歌声后发出的回应。

斯摩奇看了很久，听了很久，直到夜很深了，周围再也没有半点儿声息。

火也慢慢黯淡下去，最后只剩下一堆灰烬。夜晚值头班的人换班的时间快要到了，而斯摩奇还在一旁看着。佩克思在一旁睡着了，很快斯摩奇也开始犯困，挨着佩克思打起了盹儿……

“捷夫，今天早上的围捕范围是不是很大？”

第三天早上克林特问了领班这个问题。捷夫明白克林特脑子里在想什么，所以他笑着看看克林特，回答道：“去骑上你的斯摩奇，克林特，我会安排你在内圈，这样它不会太累。”

斯摩奇上阵时没有受到绳套之苦，因为在克林特出现的时候，它迫不及待地主动迎了上去。这在遥 R 牧场是一个例外。

马儿们固然羡慕斯摩奇能够受到优待，牛仔们也对克林特满心羡慕，因为很少有野马能够死心塌地地喜欢一个牛仔。

克林特笑着对斯摩奇说：“今天早上你会把我全身的老骨头都颠散掉，对不对？”

斯摩奇真的是这么做的。克林特才刚刚坐好，它就低下头，然后猛地跳了起来。跑在平坦的原野上，它的嘴里也不安分地大声吼叫着，就像一头吃人的野兽。在寒冷的秋天早晨，一匹精神抖擞的马这么做是完全可以接受的，克林特很高兴能帮斯摩奇拂去圆圆的臀部上的尘土，而斯摩奇也正为自己能让某个人摇晃不已而沾沾自喜。

克林特最后把斯摩奇的头拉起来，告诉它说：“你最好省点劲儿，因为你回去前可能会累趴下的。”

离开营地大约有 20 千米了，他们来到了一座小山丘上。捷夫像往常一样招呼牛仔们四散开来，让他们绕成一圈往回跑，一路上搜寻牛群的踪迹。克林特和另外一个牛仔是最后一对散开的，他们沿着里圈把能看到的牛全都往回赶。

离营地还剩一半路的时候，斯摩奇注意到自己左右两边腾起了大片尘土，并且离他们越来越近。牛群向这边飞奔而来，牛仔们在后面追赶着，把它们和克林特这个小组围捕到的牛并到一处。接近营地时，所有的尘土都汇到了一起。一千多头牛被二十几个牛仔赶到了分流场，在那里四处乱转。

最后，他们到达了营地，克林特把斯摩奇带到绳栏边，帮它解下马鞍，斯摩奇这才感觉轻松不少。

接着，克林特把它牵到小溪边，用清凉的溪水洗去它身上的汗渍。这样一来，斯摩奇立刻忘掉了第一次围捕的辛苦。

慢慢地，斯摩奇能够判断出克林特每次出现的方位。他的马鞍总是搁在围栏外几米远的地上，每当他套中一匹马，他都会把马牵到那里。

所以，每当斯摩奇被关进围栏，它都会朝向那个方位站着，如果它觉得需要引起克林特的注意，它可以很轻易地碰到他的衣角。

马车队里平均每个牛仔都配备了十匹马，每天都要换三匹马骑。这样算下来，每匹马每三天都要跑上四到六个小时。就这样，又轮到斯摩奇上场了。

克林特骑着它就围捕了三次，当它才掌握怎样驱赶牲畜时，就被提升成了“日间看护马”。当然克林特也多少为斯摩奇谋了一点儿特权，要不它不可能这么快就升到这个级别，但看它做事一丝不苟的样子，就知道它肯定不会让克林特失望。

斯摩奇提升的经过是这样的。一天，有一大群牛赶回来要分流，克林特想让斯摩奇试试。斯摩奇一跃而起，朝那些团团乱转的牲畜跑去，快接近它们时停了下来。克林特和斯摩奇的任务就是不让那些被圈住的牛逃脱。共同执行任务的还有其他十二名牛仔，骑的大多数都是些经验老到的马，斯摩奇注意到了这些。它的两耳之间突然一阵发痒，眼里闪过一道光。

正在这时，一头蛮劲儿十足的大块头野牛从队伍中蹿了出来，双目怒睁，闪过那些牛仔，往空地上飞奔而去。斯摩奇当时正处在一种恍惚的兴奋状态下，它甚至都没看清楚到底是什么样的一头牛，只感到有什么东西一闪而过。

就在那一瞬间，它感到脖子上的缰绳被扯了一下，于是立刻飞奔了过去。它只看了一眼就清楚了自己要做的事情，对方不过是一头普通的野牛，它必须要把那头牲畜逼得掉头。

它很快就做到了这一点，那头野牛被迅速赶回了牛群。克林特目睹这一切，脸上露出了极为满意的笑容。而斯摩奇呢，它看起来仍然精神抖擞，甚至有些得意扬扬。斯摩奇似乎在告诉大家，只要有牛蹿出来，它立马就会追上去，除非那牲畜从其他牛仔身边逃开。

从那天开始，把围捕来的牛群赶到分流场，并且在白天看管好它们成了斯摩奇的工作。克林特也会在私底下给斯摩奇找乐子。他会趁捷夫带着其他牛仔去围捕时，找到几头令他深恶痛绝的牲畜，用绳子缠住它们，让斯摩奇开心地把它们翻来翻去。

第九章
权利之战

冬天就要来了，雨越下越冷，终于有一天雨夹着雪落了下来。原本尘土飞扬的路上变得泥泞不堪，缠卷起来的甩绳僵硬得就像钢缆。马鞍和鞍褥也都湿湿冷冷的，比以往重了很多，套到身上的时候，那些冻得直发抖的马全都忍不住弓着背跳起来。

最后一头肉牛被送上了遥 R 牧场的另外一个马车队运走了，捷夫的牧群里就只剩下了母牛和断奶的小牛犊，还有需要过冬的马群。

捷夫有一天跟大家说："再过一两个星期我们就可以看到主牧场的大门了。"

但这句话说早了。过了漫长的三个星期，大家才开始赶着牲畜们上路，那时地上已经有了 15 厘米厚的积雪。

“斯摩奇，等一下，让我先坐上去，好吗？”

是克林特在说话，他正试着拉住斯摩奇，好把脚踩到马镫里，但是他穿得太厚实，腿脚似乎有点儿不听使唤。而斯摩奇在一旁已经冻得受不了了，它背上的雪凝成了冰，要先处理掉，然后才能套上马鞍。它只想低下头弓背跳起来，这样好暖和一点儿。

到了围捕的最后一天，一切都准备好了。厨师坐在马车座位上，拽住牛仔们递给他的缰绳，大喊一声，吓得早已惶恐不安的马群迈开大步跑了起来，朝主牧场跑去。

终于看到牧场大门了，大家一阵兴奋，尤其是看到天上布满浓云，赶忙加快脚步进了牧场。那些年纪稍大的牧牛马朝大围栏竖起了耳朵，它们知道这个时候看到围栏意味着什么，所以当牧工把它们赶进去时谁也没想逃开。那天晚上马群被带到了一大片草地上，第二天几个牛仔带着它们穿过另外一个门出了牧场。

克林特主动要求成为那几个牛仔当中的一个。他想在斯摩奇被带去过冬前再看它一眼，同时也想看看那边的条件怎么样。中午时分他们到了牧场边上，克林特骑着马跟在马队的后面，看到有草从 15 厘米深的雪地里冒出来，感到非常欣慰。他还注意到可供马群休息和御寒的地方，溪谷四周长着浓密的柳树，这为马群提供了很好的遮挡。

克林特停下来，两百匹马被驱散开。他的眼睛最后一次从熟悉的马背上扫过，之后就要等到来年春季围捕时才能再见到它们了。有匹马从马群中冲了出来，那正是斯摩奇，它离克林特骑马站着的地方不超过 40 米。

看到斯摩奇，克林特的脸上露出了微笑，立刻下马朝它走去。但他用不着走完全程，因为斯摩奇一看到他就丢下了身旁的佩克思，嘶叫着朝克林特迎了上来。

“你真是个讨人喜欢的家伙！”克林特说着，摸摸已经来到他身旁的斯摩奇的脑袋，来回揉搓着。

克林特又去摸斯摩奇的肋骨，脸上绽开笑容说：“好了斯摩奇，这地方还真不赖，起码不会让你掉膘。不过如果你再胖下去，可还真不行。”

斯摩奇跟着克林特转身，来到了他的马跟前。克林特说：“你已经预感到我们要分开一段时间了，是不是？没关系老伙计，来年开春的时候我会第一个来看你的。”

克林特在上马前再次停了下来，摸了摸斯摩奇的身子。

“好了，斯摩奇，我要走了，你要好好照顾自己，多保重！”

斯摩奇看着克林特上马，渐渐消失在山的另一边。它嘶鸣了一声，站在那儿望了很久，直到确定克林特已经离开，才掉头往回走，回到了佩克思身边。

冬天来了，整个原野覆盖上了跟往年差不多厚的雪，冰冻和寒风不断侵袭。

斯摩奇适应了恶劣的天气，长得膘肥皮厚，全身裹了一层长长的毛。

冬天一个月一个月地过去，马群从这个山脊晃荡到那个山脊，从这个御寒的地方换到下一个地方，没有什么事破坏牧场上的宁静，只除了一匹长着又粗又浓鬃毛的大黑马想蹭过来跟佩克思做伴。对它的举动斯摩奇和佩克思倒也不是完全抗拒，因为它们浑身是劲儿，正愁没地方使呢。

那匹大黑马似乎对佩克思很有好感，而同时又很不喜欢斯摩奇。一开始佩克思保持中立，不明白为什么那匹黑马总想把斯摩奇从自己身边赶跑。斯摩奇没有因为这点儿事就跟黑马打架，但也很生气，立志保卫自己的领地。就这样过了一两天，那匹黑马时不时地会向斯摩奇冲过来，像要把它撕成碎片，但斯摩奇几乎寸步不让。

那匹黑马年纪比斯摩奇大一倍，更懂得角斗的技巧，而且比斯摩奇重 50 千克。这些优势在它与斯摩奇的斗争中有所显现，比如斯摩奇的身上时不时会被扯掉一两块皮，不得不飞奔逃开，但也仅此而已。而且佩克思也开始注意到这一切，它觉得那匹黑马侵占的领土太多了，于是开始讨厌起它来。

当那匹黑马垂下耳朵，再次朝斯摩奇冲过来想把它撕碎时，有什么东西从另一侧袭击了它，让它四脚离地，头朝下摔到了地上。它从雪地里沮丧地爬了起来，摇摇头，注意到斯摩奇和佩克思正凶狠地瞪着自己。它赶忙掉转尾巴，知趣地离开了。

不过，不知那匹黑马是不驯服还是太傻，或许是它不能相信昨天发生的一切，第二天它又试着插进斯摩奇和佩克思中间来。在它还没靠近斯摩奇的时候，佩克思首先看到了它。角斗开始了。佩克思不是黑马的对手，但它仍然勇敢迎战。正当双方打得难分难解，冻雪四处乱溅的时候，斯摩奇就像一枚重磅炸弹一样加入进来，把黑马打得毛皮乱飞。黑马艰难地躲开飞舞着的蹄子和锋利的牙齿，一溜烟朝马儿较少的地方逃走了……

日子一天天长了，天气也变得暖和起来。斯摩奇和佩克思开始觉得身上发痒，于是忙着互相抓挠，大团大团长长的冬毛因为它们的抓挠往下掉。光这样它们仍觉得不够，还要在地上打滚儿，好更快地除去冬毛。最后，它们身上露出了如缎子般光滑的皮毛。

马车队的厨师重新擦起了装炊具的箱子，牛仔们一个个从四面八方赶了回来，迫不及待地准备开始春季的活儿。有一些牛仔去年秋天忙完后就离开了没再回来，新的牛仔来到牧场，和捷夫交谈几句便补上了他们的空缺。

克林特整个冬天都待在牧场的一个营地里，照常领着工资。当原野上的雪开始融化，露出光秃秃的土地，而那些瘦弱的牲畜也不再需要看护时，他把铺盖一卷，放到了马背上，骑着另一匹马朝主牧场进发。

斯摩奇正在一个向阳的山坡上吃草，吃草的间隙偶尔抬头看看四周。这一次，它的视线越过山头，看到有个人正骑马往这边来。

斯摩奇喷了个响鼻，撒腿从山上跑了下来，到了佩克思和其他的马儿吃草的地方，告诉它们有人来了，然后赶紧逃开。马儿们听从了斯摩奇的警告，全都拼命跑了起来。当那个牛仔出现在它们几分钟前所在的山头上时，它们已经离他 1 千米远了。

那个牛仔悄悄地朝它们逼近，绕了好大一圈，才赶着它们朝主牧场大围栏的方向奔去。

阳光照在那匹领头的灰褐色马光滑的背上，那牛仔看着，脸上绽开了笑容。虽然他和那匹马之间隔了 500 米，但他非常肯定那匹马就是斯摩奇，因为阳光只有照在斯摩奇的身上才会有这么强烈的反光。当然，也只有斯摩奇的动作才会这么漂亮。

那个牛仔一边放慢马的速度，一边说：“我告诉过你，当春天到来的时候，我会第一个来看你！”

从看到斯摩奇开始，克林特在马群后面整整追了 40 千米，非常累。接近主牧场的围栏时，他终于追上了马群，把它们径直赶到围栏里，关上了大门。

克林特对在围栏里绕着圈的斯摩奇说：“你不认识我了？可能它都不知道是我！”

克林特说得没错，长达几个月的自在生活让斯摩奇又回到了原始野性的生活状态。乍一眼看到克林特，它只知道那是一个人，这让它感到惶恐不安，它要先平静下来，然后才能慢慢意识到这个人是谁。

克林特跟它说话的时候，斯摩奇眼里闪着怒火，呼哧喷着响鼻，想找地方躲起来。但克林特一直没有停止跟斯摩奇的对话。斯摩奇来回跑着，听着克林特的声音，似乎慢慢感受到了某种遥远得已经快忘掉的东西。有一两次它停下来看看克林特，然后再跑开，但动作越来越舒缓，脑子也越来越清楚了。

它再次停了下来，垂下脖子，耳朵直直地往前伸，眼里闪着光，面对围栏那边正站着跟它说话的克林特。

克林特说：“你这可恶的小马儿，我们是不是得重新认识一遍啊？到这边来，让我摸摸你的脑门，这样你就能想起来我是谁了。”

斯摩奇没动，但也没走开，仍听着克林特说话。克林特一边继续往下说，一边看着它。斯摩奇脸上的神情渐渐没有那么狂野了，它的本能在呼唤它离开这里，但它的记忆深处有什么东西更有力地牵绊住它，让它站在那儿没动。

克林特一边说着话，一边缓缓朝斯摩奇靠近，直到他离斯摩奇只有半米了。他慢慢抬起一只手，停在了离斯摩奇的鼻子几厘米的地方。斯摩奇看着那只手，喷了喷响鼻，但很快它伸长了脖子，小心翼翼地凑上去嗅了嗅。它又喷了喷鼻子，把头撇开了，但不久它又凑上去嗅了嗅。它喷响鼻的声音一次比一次轻，最后，斯摩奇允许那只手碰触它的鼻孔。手指在它的鼻子上轻轻地揉搓了一会儿，然后慢慢沿着鼻子往上，摸到了它的额头，很快又摸到了它两耳之间的脑门。五分钟以后，斯摩奇就跟在笑容满面的克林特身后满围栏乱转了。

围捕用的马车全都收拾干净了，该装的东西也都装好了，只等出发上路。备用马队的马已经挑好，每位牛仔的马也都分好了。捷夫扫视了一下整个车队，挥挥手，紧接着一扯缰绳，马开始跑了起来。整个车队跟在后面。马车、牛仔、备用马队，依次出了牧场大门。

春季围捕开始了。

这一年，斯摩奇学到的东西特别多。当又一次秋季围捕结束，克林特解下它身上的马鞍，准备送它到过冬的牧场去时，看到它左右两边的肩部各出现了两个白色的小斑点儿，连毛也是白色的，大小跟一枚硬币差不多——那是马鞍留下的印痕，是它出色表现赢得的奖章。

与此同时，它的眼里闪着睿智的光芒，因为它对自己的工作和生活已经有了足够的熟悉和了解，几乎已经赶上那些老牧牛马了。

斯摩奇良好的表现记录上只有一个缺点，那就是它喜欢跳。每天早上它都要跳上一两回，有时候跳得还特别厉害——这完全取决于天气有多冷——但克林特似乎并不在乎，反而试着让斯摩奇保持它爱跳的习惯。

他经常说："一匹马要是连跳都不会，也就没什么用了。"

克林特不想让斯摩奇改掉这个坏习惯还有其他的原因。夏天，老汤姆·加维思——遥 R 牧场的监管人，也是牧场场主之一，来到车队待了几天，想看看他手下的牛仔们是怎样围捕牛群的。

有一天，老汤姆出现在了分流场上，当时斯摩奇也在。

克林特才骑着斯摩奇走到牛群边上，就感觉到这个头发灰白的老家伙一直盯着斯摩奇，眼里充斥着爱慕之情，似乎再也装不下其他东西，这让他的心中掠过一丝不安。克林特知道老汤姆一直想要一匹好马，却总也不能如愿。

不过斯摩奇是属于克林特的。克林特骑着斯摩奇开始冲赶牛群，这非常考验一匹牧牛马的能耐，而斯摩奇自然是尽力表现。当看到那匹灰褐色马的表现时，老汤姆的眼珠子都快掉出来了。

那一天接下来的时间里，克林特一直忧心忡忡，晚上都辗转反侧，一直在想怎么才能躲开那个老汤姆。如果老场主真的提议跟他交换马匹，那真是要了他的命了。不管老场主给出什么条件，他都不会拿斯摩奇去换的。

第二天，老汤姆直接走到克林特面前，开了口："我想试试你昨天骑的那匹灰褐色马。"他以为克林特可能会很乐意，继续说："如果我真喜欢上它，我会拿我的棕色马跟你交换，它是我在主牧场找到的最好的马。"

克林特气得脸色发青，眼里闪着怒火："你不能骑斯摩奇！"

"你倒说说我为什么不能？"老汤姆说，脸色也变得铁青。

克林特回答："因为你骑不了，你给它上马鞍都上不了。”

当时克林特真想辞职不干，到其他牧场找份活儿。但一想到这样就再也见不到斯摩奇了，他马上急中生智想出了另外一个主意——他可以先把老汤姆激怒，让他在这样的情绪下去驾驭斯摩奇，那么他和斯摩奇就都还有机会。

老汤姆生气地说：“我倒要让你看看我能不能给那匹马上鞍，我驾驭过的野马，你都进不了它们的栏！”

克林特露出嘲讽的笑容：“是啊，只不过那是很早以前的事了，现在碰上那样的马，你不认老也不行喽！”

老汤姆瞪了克林特一眼，开始忙开了。他走到自己的马鞍跟前，把绳子解下来，打好绳圈，然后甩了出去。绳圈在空中划过的声音十分响亮。

一下子被突如其来的绳圈套住的斯摩奇大吃一惊，它怒吼了一声，然后跳了起来。老汤姆被它拖着移动了几步。

克林特用话刺激老汤姆：“你爬上去之前最好祈祷一下。”可老汤姆根本没有停下来的意思，他解开了套在斯摩奇前腿上的脚绊，紧紧一抓缰绳，爬上了马背。

斯摩奇回头看着那个陌生人爬到它背上，同时感到脖子上的缰绳紧了一下，知道一切都已就绪，是到了它发威的时候了。它低下头跳了两下，刚刚热了个身，就感到马

鞍上的人摔了下来。不过它还是继续跳了几下，然后停住了。

克林特走到斯摩奇跟前，一只手摸着它的脖子，笑得嘴都合不上了。他对斯摩奇说：“干得好，老伙计！”然后转过身看着正从地上爬起来的老汤姆，“还想再试试吗？”

老场主回答：“我会的，你等着瞧吧！”

老汤姆走了过去，从克林特手里一把夺过缰绳，准备再次跨上马鞍。但这次还没等他坐好，斯摩奇就低下头冲了出去，把他摔到了另一边的地上。

老汤姆还想再试时，捷夫插了进来，劝他不要再冒险了。

捷夫告诉老汤姆：“每次有人骑到它背上，它都会跳起来。”

老汤姆心里的怒火和尴尬憋得他气都喘不过来，需要通过某种方式发泄一下。当他看到跟斯摩奇站在一起的克林特时，马上用手指着他，大声喊道：“你被解雇了，我会找人来教那匹马学乖点儿！”

克林特只是对着老汤姆咧开嘴笑着，这越发让他恼羞成怒，正在这时捷夫插话了：“在这里雇用谁解雇谁我说了算，汤姆，只要我在你手下干活，我就不会放弃我的权利！”

老汤姆转过来面对捷夫，野兽一样地大吼道：“那好，你也可以离开了！”

老场主已失去了理智。不过当他走开去牵另一匹马时，他开始觉得自己刚才做得太过分了。

他骑上马，挨着捷夫的身子过去，好让捷夫听到他说的话：“你和克林特可以到牧场总部来，我会留出时间接见你们的。”然后又跟另一个牛仔说：“你暂时接管马车队，回头我会再派个领班来。”

老汤姆到达牧场，打开大门，解下马鞍，往牧场的大房子走去，却诧异地发现捷夫和克林特早已等在那了。他走上前去，但一点儿没流露出他想挽留他们的意愿。

简单打过招呼后，捷夫开口说话了：“所有牛仔要我转告你，如果你要给我结算工资，那也请你给他们结算工资。我对此很抱歉，我也尽力劝过他们了，但没有用。如果我离开，他们也全都会辞职。”

老汤姆领着捷夫和克林特进了大房子，一句话也没说。他走到客厅中央的一张大桌子旁，回过头看着捷夫和克林特，脸上浮现出一抹笑容说：“好了捷夫，我很高兴听到这些。一个人要想把活干好，必须得跟他喜欢和信任的人共事。是的，我很高兴听到你刚才所说的话，但问题是现在你被解雇，随时可以走了，对不对？”

捷夫回答：“是的，我一拿到工资就走。”

“嗯，有没有可能重新再雇用你？我可不能放你这样一个领班走，捷夫。”

捷夫考虑了一会儿，看了看克林特。老汤姆猜到他心里在想什么，接下去说：“当然，我没有权力决定雇用还是解雇你的手下，所以克林特根本没被解雇，他可以继续为你工作。”

三个人互相握了握手以示和解。第二天早上，当捷夫和克林特动身回车队时，老汤姆亲自来送他们离开。

老汤姆说：“克林特，你不用再担心你那匹灰褐色马了，我永远不会想要它了！”

第十章
突然失踪

又一个春天来了。

这年春天第一个见到斯摩奇的仍是克林特，他看到斯摩奇长得膘肥体壮，知道夏天干活儿可不愁了。斯摩奇和克林特打过招呼后，马上就干活儿去了，看它那急切劲儿，就像从来没干过活儿一样。

斯摩奇干的活儿还跟去年秋天一样，它不断学习各种对付牛的办法和技巧，以至到最后，牛只要看到斯摩奇的身影，就会把眼睛一翻，乖乖服从它的指挥，丝毫不敢抵抗。

似乎还在忙着春天的活儿，转眼就到夏季了。再过一段时间，秋季围捕便热热闹闹地开始了，几千头牛被赶了回来，然后再进行挑选和剔除。一大群肥硕的肉牛被赶到运货地点，装上了汽车。冬天到了，接着春天又来了，牛仔们又出现在了原野上。

就这样四季交替更迭，一切平静而有序。

那年春天，当车队开出牧场进行围捕时，就只剩下了捷夫、厨师、克林特等几个人是旧面孔，很多牛仔都已经离开了。

从克林特骑着斯摩奇加入马车队那天开始算，到现在已经五个年头了。这五年中，给斯摩奇上马鞍，骑在它背上的只有克林特一个，没有第二个人碰过斯摩奇，只除了老汤姆想把它占为己有那会儿。而从那天起，克林特再不用担心有人会把斯摩奇从他身边夺走。整个车队没有哪一个牛仔不想把斯摩奇占为己有，假使春季围捕开始时克林特还没有露面，那么很可能会引发一场关于斯摩奇归谁的争论，不过克林特总是第一个来到牧场，因此根本没有人有机会宣称斯摩奇归他所有。

斯摩奇之所以能够成为一匹杰出的牧牛马，跟它与克林特的深厚感情有很大关系。它对克林特强烈的感情使得它对自己要做的事表现出极大的兴趣，并愿意积极学习。到后来，克林特才刚发现有牛要从牛群里冲出去，斯摩奇就意识到了，甚至不需要克林特扯缰绳示意，那头左闪右躲的牛很快就会被拦住，乖乖走向应该去的地方。

甩绳也是一样。除了不会把绳子甩出去，斯摩奇几乎什么都能做。在这种场合它一样很出色。它一只耳朵往后伸，注视着克林特的动作，看到绳套甩出去，就会立马跟上去。当绳套套住牛角时，它会立刻掉头往回跑，克林特只要拉着绳子把牛拖过来就可以了。它还知道怎样让牛“躺”下来，虽然有些牛块头很大，但只要斯摩奇在绳子一端，它们就不敢起身。

斯摩奇如何对付牛的故事有很多，其中有一个，最让克林特和其他牛仔津津乐道。

牛群中有一头大肉牛，有一只角长歪了，如果再长的话，恐怕就要戳到眼睛了。克林特和捷夫决定把这只角锯掉。当一个牛仔跑到马车上去拿锯子时，克林特和捷夫解下绳子，准备把这头牛抓过来。

这头牛野性十足，块头很大，还很聪明。它一看到克林特和捷夫穿过牛群朝它逼近，赶忙蹿了出来，尾巴翘得高高的，准备逃开。就在这时斯摩奇出现了，它驮着克林特立刻追过来，到了那头牛的跟前。因为那头牛的角是歪的，克林特只得把绳子套到它的脖子上。刚开始一切都很顺利，斯摩奇跑到了牛的前面，克林特把绳子的其余部分甩到牛的屁股上，不出意外的话，下一秒钟那头牛就会四脚朝天倒在地上，乖乖等着被绑了。

就在这时，意外发生了。当绳子收紧时，那头牛非但没有躺下来，反而传来什么东西开裂的声音。原来，是斯摩奇肚带前面的一小段皮带裂开了。马鞍顿时变得松脱，克林特被抛到了 1 米高的空中，翻了个跟头，摔到了地上。

因为侧面的肚带还绑着，马鞍没有掉下来。大家都以为斯摩奇接下来会把身上快掉下来的马鞍甩掉，因为几乎每匹马在这种腰腹两侧受到挤压的情况下都会弓背跳起来，搞得尘土飞扬，而斯摩奇本来就喜欢跳，所以应该不会例外。

牛仔们都咧着嘴等着看好戏。但他们的笑容很快就消失了，取而代之的是不敢相信的表情。斯摩奇非但没有试着把背上的马鞍甩掉，反而还想办法尽可能让马鞍不掉下来。它是一匹牧牛马，而且正在干活儿，这会儿可不能犯傻。所以当马鞍在它身上往后竖起来的时候，它趁势跳了起来，在空中转了个身。当它前脚着地时，马鞍稳稳地落在它的身上，而它也跟那头牛面对面，继续完成它的工作。

这件事在当地传开后，很多人都不相信，他们会笑着摇摇头，说那匹马这么做完全是凑巧。但他们要是对斯摩奇有所了解，或者亲眼看到斯摩奇是怎么巧妙地让马鞍落稳，又是如何牢牢地盯着那头牛不让它逃开的话，他们说话时可能就会是另外一副语气了。

那头牛困在那儿，500 千克重的身体同绳子作着顽强的反抗，拼命想冲出去。这时斯摩奇做了另外一件事，让牛仔们个个瞪大眼，看得呆住了。

那头肉牛再次拼命往外面冲，而斯摩奇没有再守在原地。等那头牛跑到绳子尽头时，它猛地蹿了出去，紧紧跟在牛的后面。牛和斯摩奇一起全速奔跑，跑着跑着，斯摩奇突然停下来，跗关节碰到了地，牢牢地踩住了绳子。那头牛仍然往前跑，跑到绳子尽头时，头被猛地一扯，整个身子翻到了空中，接着重重地摔到了地上。

斯摩奇紧紧踩着绳子，这时克林特走过去，把那头牛绑了起来，将歪角锯掉。一切完成后，克林特抬起一只手，开口说了句什么话，斯摩奇马上松开了脚，好让绳子从牛的头上解开。

遥 R 牧场买了好几群墨西哥长角肉牛，运到了北边的原野上。牛群在原野上长得肥肥的，也比刚开始更野了。在跟它们打交道时，除了智慧，斯摩奇还显出了其他本领。那些长角牛奔跑的速度很快，短距离内一般的牧牛马根本追不上，但对斯摩奇来说这可不是难事。它总能追上那些牛。克林特的绳子还没甩几下呢，它就已经赶上了它们，驮着克林特到了绳子可以够到的距离。

很多牛仔都说看斯摩奇干活真不比看一场精彩的演出逊色，还有不少牛仔会偷偷放一头母牛逃走，就为了看斯摩奇如何漂亮地堵住它。晚饭过后，牛仔们躺下来休息聊天或者唱歌的时候，听到克林特说斯摩奇会做什么或者做过些什么，没有人会有异议或打赌说这不是真的。他们全都知道斯摩奇，也都很赞赏它，于是随着这些牛仔来来去去，其他牧牛场也开始谈论起斯摩奇，到后来整个州的北部地区都在传说斯摩奇的故事。

有一天，一个邻近牧场的场主托他手下的一个牛仔带来话，说他愿意用 100 美元买下那匹马。第二年，那个牧场主把价提高到了 200 美元。又过了两年，另一个大牧场主足足开了 400 美元的价，要把斯摩奇买走。

当时很好的坐骑马大概一匹就 50 美元，但好的牧牛马并没有定价。一般来讲，牧牛马是买不到的，除非牧场出售。不过当地牧牛马的最高售价从来没超过 200 美元，所以当有人开价 400 美元买斯摩奇的事传开后，很多人都以为那个人不是脑袋有问题，就是钱多得烧手了，但有这种想法的人都没见过斯摩奇干活儿。

跟往年一样，那年冬天，斯摩奇和其他备用马一起被送到原野上过冬。克林特还像以前一样帮着护送它们到边界上，当马儿们停下来四处找草吃时，他注意到草很短，也比往年要少。虽然整个夏天都很干旱，原野上的草不多，但这一小片牧地条件一直都还不错，马儿们在这里过冬比在温暖的马厩里吃谷物要好。

克林特离开了斯摩奇，一路上往回走。刚看到牧场的建筑物，暴风雪就从身后袭来，他不由得用戴了手套的手捂住了耳朵，冻得上下打战的牙齿缝里挤出几个字："暴风雪来了，威力一定很强。"

他说得一点儿没错。冬天的第一场暴风雪威力十足，袭击了整个原野，积起来的雪把草地整个盖住了。这场暴风雪足足下了两天两夜，天气放晴后，气温下降了很多，克林特连忙把老迈的牛群赶到离牧场更近的地方以方便看管。几天以后又下起了暴风雪，克林特就一直在雪地里忙着把凡是他能找到的牲畜都往牧场赶。

克林特有点儿担心斯摩奇，不时想着要去找它，但因为雪太深，他的马不肯出门，他怎么着都不行。另外，一路上总会发现牛群，其中有一些牛需要带回牧场。

有一天，克林特终于还是去了斯摩奇所在的原野上。灰色的天空越来越暗，快到黄昏了，克林特翻过一座山脊，发现了一群马。其中有一匹灰褐色马，毛长长的，看上去又瘦又累，当克林特认出它就是自己的斯摩奇时，简直不敢相信自己的眼睛。

克林特本想把斯摩奇带回牧场去，但他不知道斯摩奇能不能走那么远的路。斯摩奇从它刨开找草料的雪地里抬起头，看见有人朝它走来，它没认出他是克林特，没顾得上看第二眼，就赶忙撒腿跑掉了。

克林特注视着斯摩奇，觉得斯摩奇的情况并没有像自己所想的那么糟糕，不由得微笑了起来。

“但我还是要把你带回去，你这个小调皮鬼，要一直是这样的天气，谁知道几个星期后你会变成什么样？”

他开始沿着斯摩奇留下的蹄印前进。天已经完全黑了，但雪地上的蹄印很好认，他骑在马上，有点儿担心是否能让斯摩奇长时间站着不动，好认出裹在冬装里、看起来很像一头熊的自己。尤其这是在晚上，马群比先前更容易受惊，也更难靠近。

他沿着马蹄印寻找着斯摩奇和其他马儿的身影。忽然，在他的左手边不远的雪地里传来一阵微弱的叫声，听上去像是一头遇上了麻烦的牛。克林特勒住马，清清楚楚地又听到了一声。他循着声音骑了过去，看到一头小牛正缩成一团颤抖着，全身差不多让雪给盖住了。这头小牛看起来应该出生还不超过两天，它能活到现在真是个奇迹。

克林特跨下马，走到小牛的身边说：“小家伙，你妈妈呢？”

但他话还没说完，一个黑影出现了，吼叫着朝克林特顶过来。克林特赶忙上马逃开。就在这时，他注意到了更多牛的踪迹。他循着足迹走了一段路，又发现了一头母牛和一头小牛犊，只不过这头牛犊比刚才那头要大一点儿。

克林特想：“这两头母牛肯定是去年秋季围捕的时候漏掉的，恰巧它们都在冬天产下了小牛犊。”

他看着马群离开的方向说：“斯摩奇，我想这一次只好放过你了。”

克林特所说的暴风雪果真来了，雪越积越深，很快连牧场周围的栅栏都掩埋了。

这场暴风雪如果一直不停的话，说不定会带走牧场上所有马匹的性命。幸好后来刮起了大风，狂风所到之处，积雪变浅了不少。

暴风雪的天气一直持续着，克林特很为斯摩奇担心。他一次又一次试着去找它，但路上总有一些无助的牛需要他帮助，他不得不一次又一次停下来，带着它们返回牧场。

在天气恶劣的晚上，他总是噩梦连连。克林特曾梦到斯摩奇陷进了雪堆，全身无力快要饿死了，而同时狼群正步步逼近。

在克林特看到斯摩奇几个星期之后的一天，原野上来了另外一个骑马的人。斯摩奇第一个看到他，跟往常一样，它带着别的马儿逃开了，直到看不见那个人为止。

斯摩奇和马群跑到了大概 1 千米以外的地方，继续刨开积雪找草料。夜晚降临了，草原上又刮起了风，很快雪花便轻轻地飘了下来。天完全黑了，风刮得更大，雪也下得更密，这时，那个骑马的人又出现了。这一次，他直接出现在了马群中间，动作如此悄无声息，斯摩奇和别的马儿都没注意到。当它们终于发现他的时候，立刻陷入了混乱之中，但它们很快就又汇合了，在暴风雪中一路大步跑着。

它们跑了很远很远，始终没办法把那个人甩掉。在离积雪很深的溪谷大概还有 1 千米的时候，它们渐渐跑不动了，只能慢下来小跑。因为积雪太深，要跳过去不容易。而且，在这样一个暴风雪肆虐的恶劣天气里，走着比站着不动要好。

天亮了。那个骑马的人找到了一片浓密的柳树林，把马群赶入其中避避风雪。他一边赶它们走，一边回头看走过的路，当他看到下得密密实实的大雪把他的视线都给挡住的时候，不由得咧嘴笑了起来。

他一边在柳树林中寻找可以挡雪的地方，一边说："这场暴风雪肯定会把我的足迹掩盖起来。"

他很快找到了一个合适的地方，可以暂时避一避风雪。

随着夜晚的临近，风刮得更猛了，地上的雪都被吹得飘浮起来。那个人醒了过来，站起身又点燃了火堆，煮了一顿饭吃了。等把一切收拾好后，他骑上了马，开始去找他赶到溪谷下面吃草的马群。他在几千米以外的地方碰上了它们，他估计它们就会在那里，大雪覆盖了整个原野，他跟在马群后面，赶着它们上路了。

走了一个小时左右，在队伍最前面的斯摩奇发现自己走进了一个围栏，一个用柳树围成的围栏，很隐蔽。这个围栏是那个人出于某种目的而围成的，有迹象表明以前也用过很多次。他把马儿们赶进了用长长的柳树杆做成的门，把杆子拦了起来，然后去拿马鞍上的绳子。

就在这个围栏里，他改掉了很多牲畜身上的标记，马和牛都有。而他现在想做的是换一匹精力充沛的马骑，以免有人赶上他。

那个人骑上新换的那匹马，把马群放了出来，赶着它们出了溪谷，来到了一块长长的梯田里。

马群就这样一直走着，直到它们累得实在走不动了，那人才开始找地方安顿它们。

终于到了那个地方，马儿们一起停下来歇息。

他不用担心自己会被抓到，因为暴风雪已经把他留在雪地上的足迹抹掉了，而他住的地方和他发现马群的地方隔了足足 70 千米，离遥 R 牧场的主牧场则将近 100 千米。

第十一章
陌生的手

一天早上，克林特猛然从床上坐起来，心里掠过一丝不祥的预感。他骑上最好的一匹马，出门往斯摩奇过冬的原野奔去。

最后一场暴风雪几天前就开始减弱了威力。顺着原野上刚刚留下的足迹，克林特走了一段又一段的路。一路上他发现了许多马群，但其中都没有斯摩奇的踪影。不但如此，连上回看到跟斯摩奇在一起的整个马群似乎都凭空消失了，这让克林特很不解。他担心是不是有人把所有的马儿都偷走了，但他马上打消了这个念头，因为没有偷马贼敢偷烙着远近闻名的遥 R 牧场印记的马，除非他是个十足的傻子，或者是个十足的能手。

“很可能它和马群随着最后一场暴风雪的离开，回到它们原来生活的原野上去了。”克林特这样想着，骑马返回了牧场，但一直萦绕在他心里的预感似乎并不认同他的想法。

两个星期后，克林特又出现在了斯摩奇过冬的原野上，这次他绕着原野搜了一大圈，范围比以前更广，但马群仍然不见踪影。那天晚上他一回到牧场就向老汤姆汇报了这事，可老汤姆看上去一点儿也不在意。即使是克林特跟他说马儿们说不定都被偷走了，他也只是摆了摆手。

他说：“不用担心，我们会在围捕的时候发现它们的。”

春天来了，厚厚的雪堆开始融化，溪流开始涨水，留在牧场过冬的牛又被放归到了原野上。又过了几个星期，牛仔们开始朝马群过冬的原野进发，准备把马赶回来。克林特独自一个人来到了斯摩奇原先生活的原野上。他来到最先开始训练斯摩奇的营地，然后每天从营地出发去找斯摩奇。他每天换一匹马，只要一碰上马群他就会追上去，希望能看到那匹灰褐色马的身影。

他骑马找了整整一个星期，几乎找遍了整个原野，但哪儿都没有斯摩奇的身影。他只得失望地返回牧场，在归途中又暗暗希望别人已经找到斯摩奇，送回了牧场。

所有的马都被赶进了围栏，只除了那离奇失踪的十七匹马，斯摩奇也在其中。

牛仔们又骑马找了几天，老汤姆忽然意识到克林特是对的，那十七匹马肯定是被人偷走了。

老汤姆马上开着他的大汽车进城报案。他向州长汇报了关于马被偷的事，并要求班长通知本州以及周边各州的官员。悬赏公告很快张贴出来了，捉拿偷马贼悬赏1000美元，归还被偷的马也悬赏1000美元，其中特别提到了一匹灰褐色的牧牛马。

秋季围捕快结束的时候，克林特终于不再指望会在那片原野上看到斯摩奇。随着希望破灭，他想到了离开，想换个环境。如果克林特静下心好好想一想，他会发现自己想离开不只是为了踏上新的征途——他的内心深处仍抱有一丝渺茫的希望，希望有朝一日，能在什么地方找到斯摩奇。

马车队回到了主牧场。第二天，备用马群又被赶往过冬的原野。但这次克林特没有一路陪同马群看着它们解散，而是待在牧场宽大的简易房里，忙着收拾东西。他把马鞍塞到一个麻布袋里，地板上摊着一张已经研究过了的铁路地图。

捷夫推开房门，一眼就明白了克林特的打算。他注意到了那张躺在他脚边的铁路地图，微笑了起来。

他说：“既然斯摩奇不在这了，我想你也会离开。”

冬天来临了，南方的高山上已经可以看到冬天的迹象。

小山丘上，一只小花栗鼠从越冬的洞里伸出头，然后它很快从洞里爬出来，其他花栗鼠也一只跟着一只跑了出来。那只小花栗鼠呢，从一个灌木丛蹿到另一个灌木丛，一路看到籽核类的食物就拾起来。它掰开松果，寻找着里面的坚果核，忽然听到有什么东西踩着灌木丛正往这个方向来。它赶紧朝藏身的洞穴飞奔而去，刚回到洞里，就看到一匹像大山一样的马正奋力奔跑着，脖子上拖着一根长长的绳子。

花栗鼠赶紧往洞里缩，听了大概一分钟的时间，确定外面已经没有危险了，才把刚才捡到的坚果收藏好，再次探出了头。它才眨了几下眼睛，突然又看到了一匹马——马上驮着一个人，正以相同的速度往刚才那匹马奔跑的方向追去。

远处的平地上，那两匹马还在狂奔。要是前面那匹马可以跟花栗鼠一样钻到洞里躲上一会儿该有多好，它已经跑了一整个晚上了。它的脖子上套着一根绳——显然是因为它死命挣扎，把绳给挣断了，于是拖着绳子跑了。它每跨一步，蹄子都深深地陷进烂泥里。但它一直没停，一路穿过小丘，越过平原，而那个人始终紧跟在后面。

有两次那个人都消失不见了，这让它心中燃起了希望，以为把他甩掉了。但很快那个人又出现在身后，换上了一匹新的马，又追得近了些。

那个人又一次不见了踪影，但很快就又换了另外一匹马出现了。他每次换马都安排得很好。眼看追着的那匹马越来越跑不动，他想应该很容易就能追上，让它乖乖听话。

那匹劳累不堪的马绕过山丘，穿过了一片浓密的香柏林，它注意到前面干枯的香柏树堆了起来，形成了一道墙。要是其他时候，它遇到这种情况一定会掉头绕开，但它的视力已经不再清晰，脑子也变得恍惚。它的身体在对它大喊“停下”，但它仍然继续往前跑，它的脑子里有什么久远的东西在告诉它要不停地跑，但它根本不知道为什么。它一点儿不关心要跑去哪儿，即使紧跟在身后的那个人已经停下来不追了，它还是会继续跑，直到跌倒在地爬不起来为止。

它一路朝香柏树堆成的围墙跑了过去。就在此时，它另一侧又出现了一道围墙，开始在它身后慢慢围了上来，两道墙合在一起，成了一个掩映在浓密树木中的围栏。它意识到自己跑不过去了，于是腿叉开着站住了，大口大口地喘着气，汗珠从它全身各处滴淌下来。

那人关上了大门，回过头来看着那匹马。

“你这匹可恶的马，现在可让我抓到你了吧！”

但是斯摩奇半闭着眼睛，根本没看他。它的头几乎碰到了地上，全身上下都尽力支撑它站着，似乎一点儿都没听见那人在说什么。

自从马群被赶着离开过冬的原野，已经过去了好几个月，这期间也发生了很多事。无数个漫长的黑夜里，它们一直在赶路，一走就是好几千米，而一路上都找不到什么吃的。它们走了很远，走得筋疲力尽。慢慢地，斯摩奇离开它出生和生长的原野将近有 1000 千米了。

马群被赶着走个不停，一路上经过了很多陌生的山岭、平原。之后马群进入一个七彩大峡谷，峡谷里有一条很宽的河，它们游了过去。接着又走了几天，似乎到达了目的地。它们没有再走了。

第二天，那个人把马全都圈了起来，手里举着一根铁棒，来来回回地把它们身上遥 R 牧场的印记涂改成了像车轮一样的标记，然后将它们赶到了一座很高的山上，等烙上的新标记慢慢长好。

斯摩奇天生对人就充满恐惧和憎恶，只对克林特除外。但不管是什么人，能让它心中产生那么多怨恨的，只有那个脸黑黑的人。

一天，那个人想用绳子套住它，但没套中。第二天那个人又试了一次，斯摩奇留心着，看准机会闪开，绳套再一次落了空。第三次，那个人骗过了斯摩奇。他甩着绳子作势要甩出去，但其实一直将绳套牢牢攥在手里。斯摩奇果然上当，它左躲右闪，绳子却始终没有套过来。当它终于放松了警惕不再躲闪的时候，绳子却一下子甩了出来，就像一条蛇一样迅速盘住了它的脖子。

那个人从围栏上方的柳树上折下一根树枝，开始朝斯摩奇走过去，想让斯摩奇看看到底该听谁的。他走到仍在不停挣扎的斯摩奇跟前，开始拿柳树枝用力抽打它的头，似乎要把树枝打断才甘心。

最后树枝真的断了，但就在这时，套着斯摩奇的绳子在打结的地方松开了，斯摩奇自由了。

看到斯摩奇跑开，跌撞着退到马群中间，那个人气急败坏地叫嚷起来，把手里的树枝朝斯摩奇扔了过去。但是他很快反应过来，现在不是跟这些马斗气的时候，他赶紧抓住了另一匹马。

他朝斯摩奇大声嚷着："我回头再好好收拾你！"然后骑上了抓住的那匹马，把马群放了出来，开始赶它们上路。

这一走又是 200 千米。一路上斯摩奇什么胃口也没有，心里充满了对那个人的憎恨。到后来这成了它的一块心病，一心只想杀了那个人才好。几个星期过去了，它头上的伤疤慢慢痊愈，但它心里的创伤却在不断扩大。

三月的一个晚上刮起了大风，风吹得围栏门嘎嘎直响，把门都吹开了，斯摩奇很快跑了出去。

接下来的几天里，那个人四处寻找斯摩奇的下落。他在一个野马群中发现了斯摩奇。整个夏天，那个人不时试着把斯摩奇从野马群中赶出来关到围栏里，但斯摩奇比任何一匹野马都更难靠近，令他难以得逞。它知道要是再被那个人抓到，等待自己的将会是什么。他对它的毒打让它对人的憎恨越来越深，甚至觉得响尾蛇都要比人友好。

但那个人可不愿就这么放弃。那年夏天，当斯摩奇享受着自由自在的野马生活时，那个人一直在不断研究斯摩奇和那群野马的行动路线，了解清楚后，他制订了一个计划。

后来，就发生了我们之前看到的一幕。在秋天的原野上，那人骑马追赶着斯摩奇，一直把它赶进设计好的围栏里。因为把斯摩奇行动的路线摸得很清楚，他在沿途准备了换乘的马匹，最终让斯摩奇精疲力竭，落入了他的圈套。

“让你跑上一段路你就乖了，我今天就让你好好跑上一程！”一天早上，那个人一边跟它说，一边把马鞍拎到了靠近围栏通道的地方。

那个人用马刺戳着斯摩奇把它赶到了通道口，拴在一根长长的柱子上，接着给它套上了马鞍。之后那人跨上了马鞍，打开通道，扯着斯摩奇出了门，开始了长途奔跑。

转眼间，他们跑了10千米的路程，但斯摩奇没在意，它的眼睛和耳朵都往后斜，注意着它背上那个人的一举一动，只希望自己的牙齿能够咬到他，把他拽下来。

他们来到了一条小溪岸边，那里地势很陡，斯摩奇迟疑了一秒钟，它的耳朵和眼睛都注意着前面，想找个可以慢慢下去的地方。

而那个人呢，他一心找碴儿，想让斯摩奇吃点儿苦头。看到斯摩奇迟疑着不动，他马上举起了马刺和马鞭往斯摩奇身上打来。

斯摩奇又惊又怒，原本郁结在心里的怨恨瞬时就像活火山一样爆发了。

它跳下了岸，着地的时候，把头缩到两条前腿中间，猛地跳了起来。说来不可思议，前六跳的时候那个人都还牢牢地坐在马鞍上，但随后他就在空中翻了一个圈，摔在岸边了。

那个人趴了一会儿，逐渐清醒过来。他看到地上有匹马的身影，就在他身旁不远的地方，而且还在向他迅速靠近。他惊恐地去掏手枪，可是已经迟了。他刚把手枪从枪套里拔出来，转过身对准斯摩奇，斯摩奇就像一头巨大的美洲豹一样，朝他猛扑了过去，把他的手枪踩进了土里。

第十二章
变成恶马

戈莱玛小镇的电线杆上贴满了大幅海报，大大小小的店铺窗户上也贴得到处都是，全是关于快要举行的牛仔竞技比赛的。

海报上除了各大奖项外，还登有竞技牛仔腾跳而起的照片。其中正中间占据了大幅版面的是一匹最拔尖的马，它正把骑在它背上的牛仔以一种近乎不可思议的方式摔下来，底下还写着一行醒目大字："美洲狮"挑战世界上最顶尖的骑手。

"美洲狮"是一匹马的名字，它非常擅长跳起来把骑手摔下马背。

这是这次竞技赛的主要看点，号称"美洲狮"的这匹马将向来自全国各地的优秀骑手宣战。海报上并没有说明那些骑手来自什么地方，但只要谁能骑在那匹马背上满一定时间而不被它甩下来，就能获得丰厚的奖金，就这一点也足够吸引各地的优秀骑手大老远跑过来试试了。

有很多人早在“美洲狮”参加其他竞技赛时就已经领教过了它的本事，他们发现这可不是一匹普通的竞技马。到后来，凡是跟它交过手的人都说，除了狂跳外，它身上还有其他令人胆寒的东西：它对人充满了敌意，眼里流露出杀气，要不是有专门负责盯住它的人把它赶开，许多牛仔早就在还没落地之前就被它的蹄子踩得稀巴烂了。

那匹马对人怀有敌意，一心只想让他们从地球表面消失。但牛仔们发现有件事特别奇怪，那就是当它碰上那些皮肤黝黑的人，它的敌意就表现得尤为明显。

关于那匹马的来历，牛仔们在不同的竞技赛和独立日庆祝活动中碰上了都会说起：那匹马是在沙漠中被发现的，当时它混在一群野马当中，身上挂着一个空马鞍，下巴上沾着凝结的血迹，膝盖上也有。有人用绳子把它套住绑了起来，想看看它身上有没有伤口，但一丝伤痕都没发现。

随后当地的报纸上贴出了告示寻找那匹马的主人，把它描述成“一匹灰褐色马，满脸怒火，腿部发肿，身上有一块车轮一样的印记，似乎被涂改过”。

告示贴了两个星期，但一直没人前来认领。它又在牧场待了几天后，有个牛仔把它关进了围栏。

那个牛仔自打看到第一眼就喜欢上了它，他以为它就是一匹普通的马，只不过有点儿被宠坏了。

他把绳套甩出去，一心以为它那点儿坏脾气很容易就能被改正过来，但没过多久他就发现除非把那匹马掀翻在地，要不甭想把马鞍套到它身上。那马的眼神让他很不舒服，他跟各种各样的马打过交道，很清楚那种眼神意味着什么。

他自言自语：“那匹马根本就像是一头 60 千克的美洲狮！”

就这样，那匹灰褐色马得了“美洲狮”这个名字，也是所有有名字的马中最“马如其名”的。

有传言说，南方某个大镇将举行独立日庆祝活动，到时会有骑马竞技赛，同时主办方悬赏 100 美元找寻最好的竞技马。于是有一天，“美洲狮”第一次出现在了表演台前。

测试开始前，每个负责盯住场上情况以及负责赶马的人都收到警告，要随时守在一旁，以防有人受伤。

那天场上发生的一切无一不表明这些警告是多么

必要。

“美洲狮”通过了测试，那个把它带来的牛仔拿到了100美元的赏金。

每个人都认为那匹马是赛场上最不驯顺最难骑的马，其他的马跟它差得还不是一点儿半点儿。不光是在那个赛马场上，只要是有骑马竞技比赛的地方，都是如此。有人加价50美元想把那匹马买下来专作竞技之用，但遭到了拒绝。最后一天决赛的时候，价码又加了50美元，这回卖方同意了，双方签了买卖契约。从那天起，“美洲狮”的生活范围又一次被固定了：从围栏到车上，从一个竞技场赶到另一个竞技场。

在挤满了人的看台前，人们慢慢记住了这匹不驯服的、好跳好斗、对人充满敌意的烈马，它开始变得声名远扬。人们从各州赶来看它，有从城镇里来的，也有从原野上来的，只要有“美洲狮”表演的时候，全都围在看台前观看它表演。

没过多久，全美西南部各州的人开始像谈论他们最喜爱的电影明星一样谈论起“美洲狮”来。竞技委员会注意到了这些，开始为它下起注来。

“美洲狮”变得价值连城，有一次一个做竞技马供应生意的竞争对手找上门来，开价500美元想把它买下，那个报价想也没想就被回绝了。现在，牛仔们怀疑出价1000美元都不能买到那匹马。

每年夏天，那匹灰褐色马会被运上车，送到不同的竞技场，挑战牛仔们的骑术。

每次它出场的时候，都如同火山岩落在地上，震得地面晃动不已，连看台上都感觉得到。

它变成“美洲狮”这样一匹恶马的头两年是最残忍的两年。那匹马的内心中了剧毒，能让它活下去的唯一方法就是恨人以及被人恨，这是它生存的精神食粮。

挡在它和它想逮到的那人之间的横木或柱子上满是它想杀人的痕迹——那些都是它极具杀伤力的牙齿和蹄子留下的，触目惊心。

“美洲狮”在竞技场上又度过了三个漫长的夏天，不断挑战着世界上最出色的骑手。

又一个春天来了，更多的竞技比赛随之开场，贴出的海报上都会写着“会有‘美洲狮’出场”。

这些海报一再告诉人们在五年的时间里，从来没有一个骑手能在那匹马背上坐到枪响，而牛仔们都会承认这不是虚言。

就这样，“美洲狮”继续书写着无人驾驭的纪录。

秋天快到了。有一天，又一场竞技赛即将开始，一个来自怀俄明州的牛仔准备到南方来过冬，刚好听说了竞技赛和“美洲狮”的事。几天以后，这个跟野马打过很多交道的牛仔出现在了竞技赛总部，在比赛名册上签下了名字。

选拔赛和半决赛对他而言就像是游戏，他都轻松过关了。他轻而易举地赢得了跟“美洲狮”对决的权利，也获得了赢取1000美元奖金的机会，只要他能让那匹马乖乖地任他骑在背上。

第二天下午，他一直在槽道旁边徘徊。过了一会儿，裁判们大声喊出了他的名字。该他出场了。就在这当儿，那匹灰褐色烈马透过槽道栏杆打量着他，呼哧喷着响鼻。而那牛仔也看到了它的头，感觉到它的性子烈得很。

那个牛仔爬上了槽道最上面的杆子，跨到了“美洲狮”的背上，他把缰绳拽得紧紧的，双脚往前伸了伸，身子往后仰，准备迎接“美洲狮”的第一次狂跳。

他把帽子摘下来，在马鞍上坐稳了，然后大吼一声：“我们出来了！”

说“出来”是没有错，但更确切地说应该是“冲了出来”。不管怎样，那些裁判们都还没看清楚马和人的身影，他们就已经出现在了竞技场上。双方展开了激烈较量。

第一阵尘土过后，每个人脸上都浮现出诧异万分的神情，因为他们看到那个牛仔仍然坐在马背上，而且看上去他还会再继续坐下去。

裁判们骑在马上，看着这不可思议的一幕，眼珠子都快掉出来了。

他们从来没看到有牛仔能在“美洲狮”背上待这么长时间，个个只顾着看场上，都没注意到规定时间已到，可以鸣枪宣告比赛结束了。直到有个人大喊一声，才把他们从恍惚中震醒。

枪响了，裁判们宣告比赛结束。话音刚落，那个牛仔就支撑不住，从马背上栽倒下来——这场竞技够他受的，可能要过很多天才能恢复。

第一跳的时候他就感觉自己的脊椎似乎都要从喉咙戳出来了，而下面紧接而来的每一跳让他的这种感觉一次又一次地重复，到最后他都快昏过去了。

但他是一个经验老到的牛仔，仍然能够牢牢地坐在马背上，一边努力赶走眩晕的感觉，一边紧盯着那匹马的举动。似乎过了几个世纪，他才听到了一声微弱的枪响，意识到自己可以拿到奖金了。

他是第一个骑在那匹马的背上等到裁判宣告比赛结束的人，这就够了。

有一个对“美洲狮”非常熟悉的牛仔在比赛接近尾声

时俯下身跟身边的另一个牛仔说：“我感觉‘美洲狮’的竞技能力开始走下坡路了，前几次它在场上的表现就已经没有以往的水平了，尤其是这次。如果那个牛仔去年夏天骑在它背上的话，我敢打赌他早就摔下来了。”

另外那个牛仔表示同意：“嗯，我也注意到了，那匹马的速度是比以前要慢了。但也不奇怪，‘美洲狮’出现在竞技场上已经快六个年头了，我自己都纳闷这么多年它的腿是怎么撑过来的。”

“美洲狮”的速度比以前要慢了，越来越多的人开始注意到这一点。那年秋天，有个跨越边界而来的小牛仔也满足地回去了——他成了第二个赢了“美洲狮”的牛仔。之后又有两个牛仔赢得了比赛。看台上的观众惊讶地得出了一个结论，那就是“美洲狮”已经不再是一匹爱狂奔乱跳的马了。

比赛奖金从1000美元降到了500美元，“美洲狮”的名声很快不复从前。

“美洲狮”的心正在慢慢萎缩，而斯摩奇的心正慢慢取而代之，虽然斯摩奇的心要更老也更脆弱，但最后仍然完全压过了作为“美洲狮”的那颗心，重新回到了那匹马的身上。

一天，有个牛仔送来一匹个子很高、骨瘦如柴的灰色马。从它罗马人式的鼻子到它深凹进去、毫无生气的眼睛，再到它突出的下巴、粗粗的脖子，全身上下每个细节都在表明这是一匹天生的烈马，而能让它成为一匹价值连城的竞技马的，主要还是它的腾跳。

它所会的就是狂奔乱跳，跟所有天生的烈马一样，它也只想会这些。

不久以后，人们开始叫它“灰美洲狮”，似乎想让它顶替原先那匹“美洲狮”。但这匹灰色烈马根本不能跟先前的“美洲狮”比。

首先，这匹灰马的野性难驯只是出于天性，它没有“美洲狮”心系的特殊目标，也没有它的脑子。

这匹灰马的身上就只有愣头愣脑的不驯，根本比不上那匹灰褐色的“杀人狂”，虽然算得上是一匹出色的烈马，却始终只能排第二。

那匹灰马一上来就成功地把几个人摔了出去，也正是从这时开始，老“美洲狮”开始慢慢淡出人们的视线。

终于有一天，斯摩奇的竞技生涯整个结束了，全部过程就用了几分钟。跟往常一样，“美洲狮”快要上场。看台上的很多人曾经看过它以前在场上狂跳的样子，其中一些人的呼吸都停顿了，大家都期待门开时能看到那匹马带给他们的各种惊险刺激的画面。

终于，门开了，一匹灰褐色马驮着一个牛仔出现在了场上。在众人期待的目光中，这匹远近闻名的烈马“美洲狮”优雅地迈着大步，慢慢跑到了场地的另一边。

这是竞技赛的最后一天，那天晚上获胜的牛仔领到了奖金。第二天一早，竞技马被装上了货车，准备到别的镇上参加新的竞技赛。车上有个位置本来是属于“美洲狮”的，但这次那个地方换上了一匹灰马。

而“美洲狮”呢，它被留了下来，在围栏里面看着车子开走，消失在远处……

第十三章
马任人骑

“美洲狮”在竞技场上已经毫无用处，所以竞技场老板以 25 美元的价格把它卖给了一家代养马房。

代养马房的老板心里算计着怎么都得把 25 美元从它身上捞回来——那匹马身强体壮，可以训练它，给它套上挽具，让它跟其他六到八匹马一块拉车组成运货车队，长年穿越沙漠送货。

但是没等挽具上身，一天，有一群游客来到了镇上，想住上一段时间，其中有个人提议骑马玩。于是代养马房老板立马接到了很多骑乘马的预约单，他粗粗统计了一下马房里的骑乘马，发现还少三匹。

他四处找，又找了两匹，但还差一匹，于是他的目光落到了灰褐色马的身上。

起先，他根本没考虑那匹马。在给它套上马鞍的时候，他心里仍然很害怕，带着一种赌一把的心态。他壮着胆子坐了上去，想试试那匹马是否还会狂跳，只要它跳一下，就不能给游客骑。

但“美洲狮”任他骑在背上绕着马厩围栏跑，一次都没把背弓起来。

他的腿慢慢不再发抖，本来煞白的脸色开始恢复了正常。

他注意到那匹马非常听话，他想让它往哪个方向走，只要一扯缰绳，它就会乖乖照做。于是他的脸上绽开了笑容，高兴之余也有点儿惊讶。

他对着马厩的门自言自语：“真想不到，这匹马居然是匹真正的骑乘马!”

当所有的游客穿上他们闪亮的骑马装出现在马房的时候，马房老板已把马准备好等着他们了。他的目光从他们身上掠过，心里盘算着那些马怎么分配比较好。

他对“美洲狮”的表现心里仍然不是很有底，于是又把那群游客仔仔细细打量了一遍，发现其中有个年轻人最强壮，看上去也最能干，就把“美洲狮”的缰绳交到了那个年轻人手里。

不过他还是有点儿不放心，开口问道："你很会骑马吧？"

那个年轻人奇怪地转身面对着他，用讥讽的口吻回答道："当然，这还用问吗？"

马房老板咧嘴笑着目送他和其他游客上马离开。

他自言自语："当然，还用问吗？希望他回来的时候还对自己的骑术一样信心十足。"

近黄昏的时候，那群游客才回到马房，个个都累得趴在了马背上。马房老板看到那个年轻人仍然骑着"美洲狮"，一点儿不像有事发生的样子，满意地笑了起来。

那个年轻人一边从"美洲狮"背上跨下来，一边说："这匹马非常不错，你看，我说过我会骑马，这可不是吹的！"

马房老板见过很多像他这样的人，也非常清楚他的骑术到底怎样，但得知"美洲狮"很乖，他松了一口气。

那个年轻人问："这马叫什么名字？"

马房老板足足想了一分钟。

如果把那匹马的真实名字报出来，那个年轻人肯定会自我膨胀得要炸掉了。犹豫了一会儿后，他终于想到了一个新的名字。

"这匹马叫克劳迪（cloudy，意为多云的）。"他回答。

这个名字听起来挺顺耳，与那匹马的皮色也吻合，只不过这个名字既不比它在北方牧牛场里的名字“斯摩奇”能够体现出它的优点，也不如“美洲狮”这个名字远近闻名，只要一听就让人胆战心惊。但是，那匹马已经不是从前的那匹马了——它曾经是最好的牧牛马，后来又成了一匹冠军竞技马，全身上下充满野性，但现在落魄到了代养马房里，每个汤姆、迪克还有哈利都能骑，而且想骑多久就骑多久。克劳迪只是马房里一匹供出租的马。

漫长寒冷的冬天来了，听着席卷而来的寒冷北风，人们不愿意再外出，而更愿意在点起了火炉的房子里舒服地待着。

游客也全都离开了，各自回到了来的地方，镇上一片死寂。

在这样的冬天里，那些游客和其他人全都像蒸发似的不见了，这让克劳迪仅有的一点儿生命力得以维持下来。它的背上有马鞍留下的疮口，全身上下只有皮包着骨头。它的那身皮因为流汗太多都泛白了，有很多处毛也被磨掉了，光秃秃的。它腿上一点儿劲儿都没有，经常弯曲着，似乎连它瘦骨嶙峋的身子也无力承受。看起来这样疲于奔命的日子再过几个星期，那匹老马可能就完蛋了。但冬天来得正是时候，才救了它一命。两个星期以来，寒风肆虐，呼呼地从马厩的裂缝吹过，吹得整个马厩都晃动起来。而在这期间，那匹老马恢复了一点儿体力，也不会有客人来打扰它迫切需要的休息。

冬天一天天过去，克劳迪慢慢恢复了。

直到又一年春天，人们感受到春天的气息，又都开始外出。

一天，马房来了一个年轻的女孩，说她很喜欢马，问天气好的话能不能每天下午来带克劳迪骑上一两圈儿。

马房老板让她试骑了一次，注意到她对那匹马很细心，心里把她列为克劳迪的又一个固定客户。

每天下午那个女孩来的时候，口袋里会装满糖果，也不要人帮忙，自己跨到克劳迪的背上，然后领着它往山间小路走，沿路欣赏优美的风景。她会轻轻抚摸它的脖子，跟它说话，而它则慢慢地在岩石和灌木丛中穿行。在爬上很陡的山坡时，她时常会让它歇一歇，有时候还会跨下马背让它更好地休息调整。每当这时候，她会从她白色的骑马装口袋里掏出几块糖给它吃。

刚开始克劳迪并不是很想吃，看到那一块块白色的东西，它会凑上去闻一闻，然后喷喷响鼻。但那个女孩一直把糖凑到它鼻子底下，它最后只好咬一口。嗯，吃起来还不错。于是再凑上去咬一口，一连吃了几块。慢慢地，它会开始要糖吃，有时候甚至会停下来，回过头看着坐在背上的那个女孩，意思是它还想再要一块白色的东西，而当她下来站在它旁边的时候，它会用鼻子去顶她的口袋找糖，它知道那是她放糖的地方。

冬天最后一场暴风雪过去了，克劳迪的休假也就结束了。一个阳光灿烂的下午，那个年轻女孩来到了马房，给克劳迪套上马鞍，而那匹马尽力撒开腿跑了起来。暴风雪那几天她也一直待在家里没出门，所以现在兴致高昂，就跟克劳迪的心情一样。

老迈的克劳迪跑出了马厩，原来四肢僵硬的感觉似乎消失了，蹄子似乎要凌空飞起，根本不愿踩到地上。看它那么奋力奔跑，那个年轻女孩以为这是它的意愿，所以不忍心让它放慢速度。有一次马房老板曾经告诉她，如果路程不长，让它偶尔奔跑一两次没关系，所以她身体往前倾，任由那马狂奔了。

克劳迪越跑越远，几千米的路程被甩在后面，路边的景色突然变得不一样了。它的腿不再感觉僵硬，它似乎又变得年轻了，爬上陡坡的时候，它的表现就像是一匹四岁大的马，可不像已经风烛残年的自己。汗滴淌落下来，但它仍然没放慢速度。

汗水变成了白色的泡沫，克劳迪全身都让汗水浸湿了。在体温的炙烤下，汗水又变成蒸汽蒸发掉了，但它仍一心往前跑。跟那个女孩一样，奔跑带来的兴奋让它浑然忘我，它跟那女孩都没意识到她们已经失去分寸了。风把那个女孩的头发吹得飘了起来，她的帽子不知什么时候掉了，但她一点儿也不关心，她脑子里想的就是继续迎风往前冲。她的脸颊由于兴奋而泛红了，情不自禁绽开了笑容，这样活力无限的奔跑让她觉得无比的快乐。

她们沿着一条小溪来到了山上的一座峡谷里，路越走越陡。克劳迪开始觉得呼吸困难，到后来，它张大了鼻孔也还是觉得喘不过气。那个女孩一点儿也没注意到这种情况，依然骑在马上，尽情地享受着奔跑带给她的快乐。一直到看见前面的路被融化的春雪冲掉了，她们才停下脚步。

她停在那儿，还因为那阵奔跑而怔怔出神。等慢慢回过神来，她开始寻找是不是有什么地方可以让她们过去。但很快她就意识到，她们只能原路返回。

她把一只手搭到克劳迪的脖子上，摸到了一手的汗和泡沫。她有些纳闷，低头一看，大吃了一惊：那匹马全身都是汗和泡沫，呼吸非常困难。

奔跑带来的兴奋被突如其来的担忧和害怕取代了，她不知道自己能做什么。她下了马，走开几步，睁大眼睛看着它。她从来没见过一匹马像它那样全身发抖、前后摇晃，看起来似乎站都站不住，随时都会跪倒在地。

她想到的第一件事，就是要想办法在它热昏过去前帮它降温，至少她是这么认为的。她解下马鞍，将它跟褥毯一块扔到了地上。蒸汽从马背上冒出来，看到这，那个女孩更慌张了。

她看到下面不远的地方有一处山间小溪，于是小心地牵着马来到了溪边，避开一块又一块大圆石，将马牵入及膝深的溪水中。她让马站在那儿，然后用手舀水，把冰凉的溪水泼到马的胸口、肩上和背上。

过了大约半个小时后，那匹马终于不再发抖了，这表明它的体温已经降下来，呼吸也恢复正常了。又过了一会儿，它开始喝起水来，喝了一口又一口。在一旁看着它的那个女孩确定最危险的时刻已经过去，于是微笑了起来，轻轻抚摸它的脖子，心里的一块石头落了地。

太阳开始往西边的山峰上移，那个女孩确认克劳迪已经没事了，才决定往回走。它看上去很好，身上也干了，感觉很凉快。她一直让它站在背阴的地方，那个时节山背阴的地方一点儿都不暖和，所以当那个女孩牵着它来到马鞍旁边，重新给它套上马鞍时，那匹老马感受到一阵凉意，又差点儿发起抖来。

回去跟来时相比简直有天壤之别，她们走得非常慢。那个女孩尽可能地照顾它，走的都是最好走的路。她一路骑在马上，注意到那匹马跟先前不一样：它的步子不再那么确定，地上分明没有什么东西也会绊倒，走的时候身体乱晃，看起来很虚弱。

天完全黑了，她们才回到马房。马房老板在门口等着，看见那个女孩，脸上绽开一丝微笑，问道："出发前你给克劳迪喝过水吗？"

那个女孩回答："没有，但我在山上给它喝了点儿水，我们就是从那返回的。"

"我这么问是因为我新雇的那个管理马厩的男孩早上忘了给它喝水了，又或者他以为我喂过了。"

第二天，那个长着灰白头发的人没能骑克劳迪出去溜达，因为那匹马甚至都没有力气迈出马厩。它的腿就像一根根木头，弯也不能弯，它的头都快垂到地上了，放到食槽里的干草一点儿都没碰。

中午时分，那个女孩来到了马房，看到它的样子，差点儿就要哭出来，只是碍于马房老板在场，她才尽力忍住了眼泪。

马房老板走过来，跟她说："看上去它就快不行了！"

他没有问那个女孩都对那匹马做了些什么，因为他看到那匹马的样子就知道发生了什么事，用不着那个女孩来告诉他。他想，他既然把马租了出去，就得承担这样的后果，而且，那个女孩看上去很伤心，所以他也不忍心再责备她什么，反而倒想让她高兴起来。

“我会尽力找最好的医生来看它，可能会有好转。”

那个女孩听到这些话，心中燃起了希望，眼里闪着光，开口问：“我能过来帮忙吗？”

从那天开始，那个女孩每天到点就来马厩陪克劳迪。内服的外敷的，各种药都买来用上了。

马房老板看着她尽心尽力的样子，只有暗自摇头。他知道这些都没用，就算那匹马的状况会好转，它也不可能恢复成一匹有用的租用马了。

那匹马已经垮了。

24 小时滴水未沾，一路狂奔，浑身冒汗，然后又突然在冰冷的雪水里一泡，喝的也是同样的雪水，这一切加起来，立马就让它垮掉了，就算医好也毫无用处，只能干些慢活或者去拉马车。

一个月过去了，治疗仍在继续，那个女孩也一直心存希望。

可是有一天当她再次来到马房时，却发现那匹马不见了。她四处找马房老板，跑东跑西，最后终于在堆干草的阁楼上找到了他。

马房老板对女孩说："我想最好把它放了。北面有个原野，环境很不错，我想如果把它送到那里，它会有新鲜的草吃，应该对它很有帮助，所以我就这么做了。"

但那里根本没有所谓环境不错的原野，要有也得好几千米以外了。

为了不伤害那个女孩的感情，马房老板撒了谎。事实上，他意识到他如果把那匹马放了，只会让它活活饿死，但他又无力负担一匹毫无用处的马，所以只有一种残酷的选择：他把那匹马卖给了一个专门收购老马，然后宰了来喂养小鸡的人。

第十四章
完全复活

那个专门收购干不动活儿的老马的人来到马房把克劳迪牵走了。

他在镇外有一小片长满盐草的牧场，他把克劳迪带到了那里，让它跟另外几匹老马待在一起，等着看镇上养鸡的人会不会需要老马的肉剁碎了喂鸡。要有的话，他会挑那匹看上去最活不长的马杀了以后拖走。

看起来那匹灰褐色马的末日不远了，它叫“斯摩奇”还有“美洲狮”的时代所做的事、所得到的关注，早在叫“克劳迪”的时代就已经被人淡忘了。而现在它根本没有名字，就只是“喂鸡的饲料”，它辉煌的过去很快就会随着一声枪响灰飞烟灭。

有一天，牧场上来了一个人，把那些老马一个个看过，随后他做出了决定，手指向了那匹最后名叫“克劳迪”的马。

克劳迪被抓走了，但没有响起枪声，取而代之的是讨价还价的声音。

克劳迪跟另外一匹老马站在一块。那匹马瘦得都不成形了，只剩下一匹骨架，套在一辆小货车上，看上去站都站不稳。

那两个人的眼睛在两匹马身上扫来扫去，似乎在权衡哪匹马更值钱，值多少钱。

讨价还价终于结束了，那个货车的主人拿出3美元，交易达成了。

那匹瘦骨嶙峋的马被从货车上解了下来，套着的挽具也解开了。它被带到了牧场，成了一匹等着做鸡饲料的马。当克劳迪看到原先套着那匹马的挽具又被拿起来甩到了它的背上，心脏都漏跳了几拍。

不过，当那个人跳上车握住鞭子的时候，老克劳迪又奋力地挣扎起来，似乎又回到了过去的状态。它朝轮子上勾住它的东西踢了几脚，又试着弓背跳起来，一心想逃开。但不管它跑到哪儿，背上的挽具一直牢牢跟着它。更糟糕的是，当它奋力挣扎的时候，那个人的鞭子就会毫不留情地挥过来，同时用力拉扯它的马嚼子。它发现所有的挣扎都是徒劳的，于是很快失去了信心，踏着大步左摇右晃地慢跑起来。

那个人的鞭子又落到了它的侧腹上，克劳迪不得不拐到了一条巷子里。

巷子尽头有间用老朽的木板搭起来的棚屋，外面裹了一层旧油罐的铁皮。再往里面走，屋子的右边还有一间棚屋，看起来跟第一间应该是属于同一个人的，但比那间更差，那里就是克劳迪干完活后休息的地方了。

漫长的日子一天天过去，克劳迪来了几个星期了，活计压得它喘不过气来。

它的意志也变得麻木，连恨都恨不起来了。别人待它好还是不好都一个样，对它来讲结果没什么不同，也不会让它的态度有什么改变。它都感觉不到身上的缰绳，行尸走肉一般。它会把那些发了霉的稻草吃掉，它不再在乎那稻草吃起来是什么味道，它已经没什么可在乎的了。

只要能抽开身，克劳迪的主人就会到镇上去打零工。其中有一个活儿是他最向往的，每每想来都会乐得直搓手，那就是张贴关于每年初秋在镇上举行的竞技赛和庆祝活动的海报。

那一年也一样，竞技赛和庆祝活动快要举行的时候，他把那匹老迈的灰褐色马勾到货车上，装了一车的蔬菜来到了镇上，大街小巷地到处跑，干起了竞技赛组织机构派给他的各种活儿。

他整天东奔西跑，一刻也不停，逼着那匹老马快点儿走，哪怕车上堆满了东西，非常沉重。

深夜，他才会拉着那匹劳累不堪的马往回走。对他来说，每一天都很带劲儿，因为镇上到处是人，热闹得很，而其中大多数都是陌生人，他可以凑上去搭个讪，有些人甚至会跟他聊上几分钟。

那些陌生人都是来观看竞技赛的，在人群中还不时能看到戴着高顶帽子的牛仔，他们是来参加竞技赛的，会角逐骑马、套绳、斗牛等项目。

与此同时，卡萨戈兰德宾馆里会住满从北方各州来的买牛人。

一天早晨，有两个买牛的人坐在宾馆的大厅里聊着第一天的赛事。在人行道一边正对着他们的地方有一根电线杆，杆子上贴着一张有关竞技赛的海报，上面有一匹正做着跳跃动作的竞技马的照片，并写着“论野性和腾跳能力，这匹杰出的野性难驯的竞技马——‘灰美洲狮’是唯一能跟先前远近闻名的杀人狂——‘美洲狮’相抗衡的”。

那两个人继续聊着竞技赛，话题很自然地转移到了

“灰美洲狮”身上，说起了“它惊人的跳跃能力”。

其中一个人说：“那些男孩告诉我，要说跳跃能耐还有反抗的能力，这匹‘灰美洲狮’比不上那匹真正的‘美洲狮’。”

这时，一匹灰褐色马正拉着一辆装满蔬菜的旧货车，四肢僵直地停在路边，就站在那根贴着“灰美洲狮”海报的电线杆旁。

看到那匹老马站在那儿，跟海报上尽人皆知的灰色烈马形成鲜明对比，那个坐在大厅里的人不由得咧开嘴笑了起来，手指着那匹马所在的方向，说：“克林特，你看，那肯定就是那匹老‘美洲狮’。至少，它的皮色是一样的。”

那个叫克林特的人听到这个笑话也咧开嘴笑了，他朝那匹老马看了过去，越看笑容越淡，很快脸上的笑容就全消失了。他注意到了那匹马的境况，接下来又看到了那匹马背上的马鞍印子，说：“你还别说，那匹老马可能以前也一样难骑，但看它现在这样子，那段时日肯定已经过去了。”

另外那个人附和着：“是的，那匹马居然能忍受这样的折磨，真是不可思议。我真想不明白，那个在竞技场上转悠的动物保护协会的人怎么就没看到这种情景呢？不知道那匹马的主人是谁，我很乐意帮着把那家伙吊死。”

之后，两个人的谈话中断了一会儿，他们看到一个长着胡子的人从宾馆里出来，拿着个空篮子，爬上了灰褐色马拉着的货车，又扯缰绳又挥鞭子，催着那匹马快步走起来。

克林特看到鞭子抽在那匹老马的身上时就想站起来，但另外那个人拽住了他的胳膊，说道：“别紧张，动物保护协会的人应该会在这个极端分子做得太过分前把他的脖子按住的！”

克林特又坐了下去，内心怒火中烧。虽然谈话仍在继续，但看上去他一点儿也不开心。

为了转移话题，他的朋友问：“听说遥 R 牧场会在明年卖掉，这是为什么啊？”

克林特转过身，笑了起来：“我想这是因为老汤姆感觉是时候结束了。他还有很多小牧场把他忙得团团转，而且那个牧场也不比以前，有点儿维持不下去了。”

“但是遥 R 牧场卖掉以后你准备干什么呢？过去几年来你好几次离开遥 R 牧场，可是你总会回到那儿，就像其他地方你都待不下去似的。”

克林特对这个新话题上起心来，打开了话匣子：“我已经打算好了，你知道我刚到遥 R 牧场干活儿时驯牧牛马的地方吗？我从老汤姆手上把它买下来了，是我求他卖给我的，附带周围方圆 160 公顷的原野。只要我把这一车牛送到北方，我就有足够的钱付清买牧场欠的钱，还能剩下很多，我会买几头牛来养。”

克林特时常会想起位于北方牧牛场中心的那一小块属于他的地方，似乎看到了他自己的牛在牧场上吃草，滑溜的身上印有属于他的标记——这是他一直以来的梦想，而现在终于要实现了。

再过几天，他就会动身返回北方，然后定居在那儿，再也不离开了。

竞技赛的最后一天晚上，克林特就要带着他买来的一车牛回去。

那天傍晚，他和他的朋友坐在宾馆大厅里互相告别，而外面那匹老迈的灰褐色马又出现在了电线杆旁。

这次克林特很快看到了它，不知为何，他和朋友的谈话慢慢停了下来。

那匹老马的身影似乎诉说着它历尽的沧桑，它曾经的辉煌与荣耀，如果现在能好好呵护它，那曾经的一切也许还能再回来，甚至更胜以往。

就在沉思的那会儿，克林特感到有某种模糊的东西从遥远的记忆深处浮了上来，当他的眼睛不停扫过那匹怒容满面、瘦骨嶙峋的马时，那份记忆越来越清晰。

那个卖蔬菜的人坐上马车，习惯性地握住了鞭子准备抽打那匹马时，克林特站了起来。

他的朋友不想让他冲出去，于是，为了引开他的注意力，开玩笑似地问道："那匹叫斯摩奇的马怎么样了？就是那匹以前……"

但这个问题只能留待他自己去思考了，因为能回答这个问题的人早已离开了座位。砰的一声，宾馆的大门被带上了。克林特走过大厅窗户，才一转眼，他已经出现在了马车上，一把揪住那个蔬菜贩子的胡子，把他从马车上拖到了地上。

警察局长办公室的电话响了起来，有人懒洋洋地拿起话筒，里面传来一个女人的声音："卡萨戈兰德旁边有人正用马鞭伤人，请快点儿来！"

警察局长出现在了现场，一眼就明白发生了什么事。他一来就四处寻找引发这场争执的罪魁祸首，表现得很老到。

他很懂马，当他注意到那匹瘦得皮包骨头的老马身上有鞭子抽打的痕迹时，已经不知不觉站到了那个打人的牛仔一边。他看了一会儿，笑了起来。

他最后开口说："听着，牛仔，可别下手太狠了，你知道要真出了什么事，不管是白人还是黑人，我们都一样要登记在案的，我可不想满大街地去查这个人是谁。”

克林特转过身来，打量了警察局长一眼，然后走到那蔬菜贩子跟前，把鞭子举到他头顶上掰断了。克林特拍了拍手，走过去把那匹老马从货车上解了下来……

那天傍晚的时间全都用来调查了。

克林特和警察局长找到了那个做鸡饲料生意的人，从他那儿得知了蔬菜贩子的为人还有他对待马的恶劣行径，这些证据足够让他在大牢里待上一段时间了。

那天晚上，装满了牛的车厢勾住了火车头，火车按原计划冒着蒸汽朝北方开去。最后一节车厢里有个地方专门隔了开来，那里放着一捆优质干草、一桶水，还有一匹很老的灰褐色马。

克林特把那匹老马单独安置在一个温暖舒适的马厩里，食槽里放满了最好的干草，就连地上也铺了这样的干草给它当床睡，而且马厩里的水很方便就能喝到。此外，克林特还花许多钱买了壮身药粉，似乎要将斯摩奇失去的生命从死神手里抢救回来……

两个月过去了，斯摩奇仍未有所起色，但克林特没有就此放弃。

他把手搁到那匹老马瘦骨嶙峋的脖子上，摸着它皱巴巴的老皮时，心里一个劲儿地诅咒那些把它害成这个样子的人，希望哪天能有机会把他们打得不成人形。

克林特对斯摩奇的感情如此之深，深到即使它现在已经变得老态龙钟、行将就木，他对它仍然痴心不减。虽然它已经毫无价值，但克林特比在它价值 400 美元时更精心地照顾它。

经过多天的细心照顾，克林特的脸上终于露出了宽慰的微笑，因为他注意到那匹老马的毛皮开始变得舒展了。又过了一个星期左右，喂食的干草、谷物、壮身药粉，以及其他东西慢慢起了效，马儿身上开始长肉了。

终于有一天，那匹马的眼睛里闪过一丝亮光，开始对周围的一切感兴趣起来。

斯摩奇身上的肉越长越多，膘也越来越厚，它瘦削的身子开始变得强壮，对周围事物的兴趣也越来越浓厚。又过了一阵，它的视力逐渐恢复，开始留意到周围的一切。就这样，它注意到了不断在它面前走来走去，不时摸摸它、跟它说话的那个人。

自那天以后，那匹马恢复得非常快。冬天在呼啸的冷风中渐渐远去，春天的脚步越来越近，这时已经不用再担心斯摩奇的生命会危在旦夕。

日子越来越长，太阳也越来越暖和，有时克林特会把那匹马牵到外面，放它在阳光下走走，让它的血液循环起来。斯摩奇有时会在四周溜达上几个小时，然后慢慢走远，但太阳落山的时候，它总会再次出现在马厩门口。

克林特梦想着有天早上当他打开马厩门的时候，会有一声嘶鸣声迎接他。它过去就是这样的。

不过时间一天天过去，虽然斯摩奇看上去已经充满活力，身体也恢复得差不多了，但克林特期待中的嘶鸣声却一直没有听到。

“肯定有人把它的心伤透了！”一天，克林特停下手里的活儿看着那匹马，跟往常一样陷入了沉思，说出了这样的话。

春天来了。就是在这样一个春意浓浓的日子里，克林特骑马到原野上巡视时碰上了一群马，马群里有几匹才几天大的小马驹。

他知道老马对小马驹往往都会有一份强烈的兴趣和喜爱，他想要是斯摩奇看到小马驹一定会很开心，应该能变得更振作，说不定就此记起以前的一切。他跟在马群后面，把它们朝围栏里赶。

而那天斯摩奇正在外面溜达，它远远看到马群，抬起了头。它注意到了那些小家伙们，用尽全身的力气朝马群飞奔过去，加入了它们的队伍。

克林特把它和马群赶进了围栏，跨上马站在门边看着斯摩奇回到它熟悉的生活中。

它不停闪躲以避开别的马儿的攻击，在马群中穿来穿去，眼里闪过一抹久违的光芒。

克林特发现那匹老马居然还能这么活动自如、兴味十足，确实大吃一惊。

它的表现就像是一匹才两岁大的马，让克林特看得入迷而微笑。

“去掉老皮，我看它还能再活很多年。”他又想了一下，接着说，“没准儿那时它还能记起我来！”

他又看了一会儿，直到斯摩奇跟马群变得熟悉。

忽然他做出了一个决定：把斯摩奇放了，这对它来说也许是最好的决定。

克林特打开围栏的大门，让马群跑走了。看到马群冲出去，斯摩奇似乎有点儿迟疑，它非常想跟它们做伴，但似乎有什么东西阻止了它的脚步。

这时，有匹马嘶叫了起来，这足以让它做出选择，它迈开大步朝马群奔了过去。有匹小马驹正等着它，要和它玩耍，对它恶作剧。

小马驹跟斯摩奇并肩跑着，还不时地朝斯摩奇的腰部咬上一口，就这样，它们慢慢赶上了马群——斯摩奇复活了！

克林特坐在马背上，看着马群翻过一座山脊，消失在了另一边。他注视着斯摩奇消失的方向，脸上露出了一丝苦涩的笑意，说：“不知道它是否还会想起我。”

一天清晨，克林特要到外面去提水，当他伸出头去时，突然听到了一声马的嘶鸣。

克林特听到这声嘶鸣，抬头看到眼前的一切，惊讶得水桶都掉到了地上——离他不远的地方正站着一匹灰褐色的老马，身上油光发亮，眼睛里闪烁着生命与智慧的光芒。

斯摩奇的心完全复活了！